KB195842

칠산바다

시에 나오는 지명은 마음을 내면 누구나 이를 수 있는 곳,
그 미지성의 함의를 위해 굳이 위치를 밝혀 두지는 않는다.

칠산바다

이형권 시집

문학들

나에게 시는 첫사랑과 같다.
까마득히 지나간 일이었다고 생각하지만
불현듯 찾아와서 마음을 흔들어 놓는
애틋하고 안쓰러운 추억들
열아홉 시절 나는 얼마나 시에 사무쳤던가.
학업도 작파하고 열정에 사로잡혀 시를 꿈꾸었으니
생각할수록 무모하고 아름다운 시절이었다.
그러던 중 광주의 오월을 만났고
대학 시절엔 시를 통해 무언가를 해야 한다는 사명감에
허덕였다.
선후배들과 문학회를 조직하여 작은 발언을 모색하기
도 했다.
그러나 졸업과 함께 생계를 꾸리기 위해 광주를 떠나
왔다.
누구나 자기가 담아낼 수 있는 크기의 그릇이 있다는
것을

자인하게 되었고, 몹시 부끄러웠다.
그 후로는 문학판을 기웃거리지 않았다.
그렇게 세월이 흘렀다.
떠도는 여행자의 길에서 지난 세월의 열정이
그립지 않은 것은 아니었다.
문득 찾아오는 시심을 바람처럼 흘려보내며
답사기와 사진 작업에 마음을 붙이기도 했다.
그러던 중 차고 넘치는 노래 몇 편이
숨겨둔 연서처럼 모이게 되었는데
이것이 세상으로 보내는 첫 시집이 되고 말았다.

2021년 봄 撫心齋에서

이형권

차례

제4부 향로봉에 그리움을 묻고

제1부 행운유수의 길에서

서벽

사과꽃이 피면
서벽에 가리라
도래기재 넘어
외줄기 길을 따라
산그늘처럼
찾아가리라

세상의 모든 길이
옷고름을 푸는 곳
서벽에 가면
허름한 길가의 주막에 앉아
텅 빈 정류장을
바라만 보아도 좋으리

서로의 슬픔을
말하지 않은 채
서벽에는 그리움뿐이려니
그곳에 앉아서

오지 않을 사람을
하염없이 기다려도 좋으리

쓸쓸한 바람이 불고
사과꽃이 천지에 가득하여
홀로 술잔을 들며
사과꽃 피는 서벽을 사랑할지니
아무도 찾지 않는 그곳에서
그대를 사랑할지니
사과꽃이 피면
서벽에 가리라

서벽에 가면
그리운 사람이
삼단 같은 머리를 나풀거리며
사과꽃을 따리니
시골아이 웃음소리
여남은 남은 분교장 너머

잣나무 숲을 스치는 바람 소리에
청춘의 시간을
묻어도 좋으리

장구목에서

검은 강물 위에 피는 붉은 매화꽃
나는 해마다 그 꽃을 보기 위해
장구목에 간다

꽃이 피기를 기다렸다가
흙빛으로 어두워져버린 강물과
잔망스러운 계집아이처럼
붉어지는 꽃

그런 날 밤 강물 소리는
백년을 그러했듯이
요강 바위 돌섬길에 멈춰 서
길고 긴 탄식을 늘어놓는다

물비린내가 배인
허름한 장구목 가든 빈방에 앉아
수줍게 웃는 시골 아낙
정순 씨가 밀봉해둔 꽃술을 뜯어내

강물에게 한 잔 건네고
두 잔을 내가 마신다

강물이여, 알겠느냐
다시 핀 매화꽃이여
어스름 저녁답에 찾아온
길손의 마음을 알겠는가

뒤척이는 어둠 너머
매화꽃 향기 가슴에 번지는 밤
설운 것들이 몰려와
소용돌이치는 장구목 강변에 앉아
돌 항아리처럼 깊어진
세월의 상처를 바라보나니

세상의 모든 것들이 저마다의
외로움을 간직한 채
홀로 저물어 어두워져가는 밤

울지 마라, 강물이여
캄캄한 어둠 속에서
저렇게 붉은 꽃이 피어 있지 않느냐

묵계黙溪에서

지나간 세월은 다시 오지 않았네
해마다 봄이 찾아와도
서원 마당에 낙루처럼 붉은 매화꽃이 질 뿐
읍청루에 올라 바라보면
천지갑산에 쓸쓸한 바람만이 불었네

세상을 버리고 돌아오던 날
흐르던 물을 묵계라 부르며
귀를 닫고 헛된 소식에 마음 졸이지 않았으니
그대는 어느 하늘 아래
떨어지는 꽃잎을 바라보고 있는가

마을에는 저녁연기가 피어오르고
길안천을 휘감고 돌던 바람 한 줄기
후원의 솔숲에서 저물어가니
세상사 경계가 말 없는 물과 같이
어느 굽이를 흘러가는지 알 수가 없었네

18

입교당 툇마루에 늦도록 앉아
오직 눈을 감고 그대를 생각할 뿐
그대의 그림자 위에 묵계라고 쓸 뿐
모든 날이 황무지처럼 남루해졌으니
저 홀로 피었다 지는 붉은 꽃처럼
무너지는 적멸의 시간을 바라볼 뿐이었네

거문도에서

겨우내 바다는 얼마나 외로웠을까요
거친 파도가 밀려드는 수평선 너머
저 혼자 장판지 같은 하루를 접었다 펼쳤다
바다는 속절없는 날들이 얼마나 쓸쓸하였을까요

바람 부는 모퉁이 벼랑길을 돌아서면
한겨울 매서운 해풍 속에서 앓던 열병을
동백꽃은 알고 있지요
그래서 잎새마다 선연하게 피꽃을 피워낸 것이지요

거역할 수 없는 운명만이 오직 붉은 가슴으로 피어나
겨울 바다의 쓸쓸함을 연모했을 뿐
지난 세월을 말해 무엇하리오
남풍이 지나가는 길목에는
명주실 같은 봄빛이 반짝이고
어느덧 사랑과 이별의 경계에 이르렀습니다

세상의 길들이 저녁노을처럼 아득해지고

보이지 않던 추억들도 뚜렷해지는 시간
홀로 그대의 열망을 사랑했던 날들만이 남았습니다
손 내밀어도 닿지 않을 변방의 극지에서
찬란한 애모 빛깔로 동백꽃이 피었습니다

그리움으로 피어났다
순결한 영혼처럼 지는 꽃
지금 우리의 몸속에서 피는 동백꽃은
개화의 시간인가요
낙화의 시간인가요

남행

나 이제 유년의 동백나무 숲으로 가리
해풍이 잠을 깨우는 삼월의 들녘을 지나
초목의 눈들이 깨어나는 산기슭을 지나
스스로 유폐를 자청한 산승山僧처럼
두어라 한세상, 숨어 있기 좋은 곳
젖망울처럼 피어나던 수줍은 마음
그날의 동백나무 숲으로 돌아가리
돌아가 떨어진 꽃송이를 주우며
덧없이 흘러간 세월을 이야기하리

나 이제 젊은 날에 떠돌던 바닷가로 가리
청보리밭 서러운 해변의 모퉁이를 돌아
은빛 물결 일렁이는 봄 바다의 배후를 돌아
아득하여라, 길을 따라 흐르면
남해의 어느 섬마을로 떠나는 여객선 한 척
나의 마음은 물보라처럼 머물 곳이 없었으니
오랜 갈망과 낙망을 머금고 저물어가는 바다
어둠 속에 뿌려지는 노을의 빛깔에도

지난 시절의 꿈과 사랑을 이야기하리

돌아보면 잠시 들썩이다 저물어간 청춘의 시간
매화꽃이 피고 동백꽃이 지는 사이
세상에서의 날들이 이와 같이 찬란히 빛날 때
내 마음속 초당草堂에는 작은 등불 하나가 켜지고
그리움은 천지를 붉게 물들이고 바닷속에 잠겼으니
월출산, 만덕산, 두륜산, 달마산 지나
땅끝으로 가는 길
마음은 언제나 고립을 자처하는 길손처럼 적적하였으니
백련사 동백 숲에 가서 떨어진 꽃송이를 보고
추원당 돌담 가에 피는 수선화를 보고
벗이여 묻노니, 지금은 썰물 지는 시간
세월이 우리 곁을 더 이상 빠져나가기 전에
솔섬을 떠도는 바람 소리처럼 적막해지리

동백꽃 편지

내 고향 남쪽 바다 바람모퉁이 숲에서
툭! 하고 동백꽃이 떨어집니다
떨어지는 꽃송이를 보고 있으면
철없던 시절의 사랑 같기도 하고
홀로 떠돌아 흐르던 추억 같기도 하고
무심코 발견한 지난날의 연서 같기도 합니다
시나브로 봄은 오는데 꽃은 떨어져 쌓이고
선홍색의 슬픔을 뒤척이며 세월이 흐르고 있습니다
그대는 지금 어느 바다를 헤매는 가여운 넋이 되었습
니까
바라보면 길 위에는 초사흘 달빛이 흐르고
은빛 물보라를 일으키는 수평선 너머
아득하게 떠오르는 기억들
바다에는 못다 한 사랑처럼 동백꽃이 지고 있습니다
외마디 비명처럼 등 뒤에서 툭! 하고 떨어집니다
이승에서의 짧은 생애를
샘물처럼 고이는 슬픔만 남기고
그대는 지금 어느 길섶에 앉아서 여위어가는지요

바다에는 온전히 떨어져 누운 붉은 꽃숭어리뿐
그대를 기다리는 일이
피었다 지는 동백꽃처럼 속절없을 때
남쪽 바닷가 바람모퉁이 숲에는
비문碑文처럼 지워지지 않는 시간이 흐르고
바람 부는 등대 아래 서서
먼바다로 동백꽃 한 송이 띄워 보냅니다
서러운 노래 같은 꽃 한 송이 띄워 보냅니다

여차리

그대, 여차리에 가거든 전해주오
부는 바람
구르는 몽돌밭에
어깨를 스치는 쓸쓸함이 있거든
나직이 일러주오

새벽 바다
어구漁具를 들고 바다로 가는 어부에게도
갯마을 횟집 객창에 어리는
저녁 불빛에도

그대, 여차리에 가거든 전해주오
언덕을 넘어 홍포로 가던 길
동백 숲에 울던 곤줄배기에도
노을 속에 잠기는 외딴섬
그 망망한 그리움에도

절벽을 휩쓸고 가는 사랑이

물거품처럼 사라지던 날
그날의 쓸쓸함을
말하지 못하였으니
애태우며 걸었던 해변의 끝자락
그대, 여차리에 가거든 전해주오

태하등대 가는 길

누가 이 길을 걸어갔을까
동백꽃 지는 산길을 따라
묵정밭 모퉁이를 돌아서면
세찬 바람이 물보라처럼 날리는
송곳산 아래 현포 바닷가
활시위처럼 팽팽한 해안선이
띠풀처럼 애처롭게 아우성치는
태하로 가는 길

쓸쓸한 저녁
선홍빛 노을이 부서지는 길을 따라서
세상의 절교장을 받아들고
누가 이 길을 걸어갔을까
잊힐 듯 잊힐 듯
몸을 가누지 못하는 등대의 불빛이
칠흑 속으로 자맥질하는
풀섶 길을 따라서
그리움도 버리고

다정함도 버리고
누가 이 길을 걸어갔을까

경주에서

정인 듯, 미련인 듯, 아쉬움인 듯
황룡사 폐허의 들판에 제비꽃 한 송이 피었습니다

사랑인 듯, 이별인 듯, 그리움인 듯
모량리 왕릉의 숲길에 진달래 한 송이 피었습니다

꿈인 듯, 노래인 듯, 지나간 추억인 듯
무너진 성터 돌 틈 속에 산자고 한 송이 피었습니다

하루하루가 낡아지는 소식처럼 쌓여가고 있지만
바람은 천년 전의 일을 기억하고 있는 듯 싱그럽습니다

누군가, 어깨를 툭 치고 다가올 것 같은 봄날
그대와 서라벌의 옛길을 걸어 세월 저편에 닿고 싶습
니다

현곡玄谷에서

그대에게 가닿을 수만 있다면
천년 세월, 이끼가 머물지 않은
폐사지의 석탑처럼
그대에게 순결할 수 있다면
현곡이여
홀로 떠도는 이 산하가
쓸쓸하지 않으리

그리운 듯 외로운 듯
뒤척이는 무덤가 솔숲을 지나
풀리지 않은 모순처럼
헤아릴 수 없는 운명의 비늘을 감추고
그대를 꿈꿀 수 있다면
은밀하고도
오묘한 골짜기
현곡으로 가는 작은 길 위에서
석비石碑처럼 뜨거운 눈물을 흘리리라

가거도에서

세상의 끝자락에
서 보고 싶은 날이었습니다
가없는 하늘가에
노을이 내리고
그 길을 따라서 외딴섬 언덕 위에
길 잃은 나그네가 서 있습니다
초병들이 지키는 초소 아래에는
저녁 바다의 슬픈 노래가 있고
깊어가는 바다처럼
사랑했던 날들은 적막하기만 합니다
그리운 이여
언제 다시 우리가
저물어가는 바닷가를 서성일 수 있을까요
그대와 나 사이에
붉은 노을이 내리고 있습니다

도마령 刀馬嶺

도마령에 가리라 했다
사랑했던 날들이
흐르는 물과 같이 가기 전에
도마령에 가리라 했다

돌아보면
눈물 같은 것
눈부시게 반짝이는
늦가을의 짧은 햇살 같은 것

흐르고 흘러서
낯선 그림자 하나 머물지 않는
메마른 가지 끝에 홀로 타는
저 붉은 낙엽송의 길
가리라 했다

애오라지
길의 정수리에 올라서면

낯선 얼굴처럼
사라져가는 길의 적막
바람은 또 아무렇지도 않게
제 갈 길을 따라서 흐르리

길이여
두고온 날이 많았으니
후회 또한 깊으리
저무는 길섶에 앉아
풀꽃처럼 흔들리노니
그리웠던 날이
산그늘처럼 흩어지기 전에
도마령에 가리라 했다

스쳐 가는 바람결에도
그대의 숨결이
초야의 기억처럼 생생할 때
도마령에 가리라 했다

돌아오지 못할
꽃상여처럼 가리라 했다

축서사에서

그리움으로 서 있구나
옛 석등이여

그대 배후에 깔린 어둠 속에서
다시 하루가 저물어가고

마음속의 길들이 황무지처럼 헝클어진 날
가랑잎 휘날리는 길모퉁이에 서성이노니

나는 독수리처럼 날카로운 지혜도 얻지 못했고
불 밝혀 기다릴 사랑 하나 간직하지 못하였구나

어둠 속에 산그늘처럼 희미해져가는 것들
그것이 삶이었던가

그대와 불 밝히고 살았던 짧은 청춘의 시간이
밤의 적막 속으로 사라져갈 때

헝클어진 너의 머리칼을 만지고
야윈 뺨을 만지고 차가운 입술을 만져 보지만

그리움으로 서 있구나
옛 석등이여

이제 누가 있어
저 쓸쓸한 처마 밑에 등불을 올릴 것인가

황산에서

쓸쓸하구나, 견훤의 무덤이여
이른 새벽 자욱한 안개 속에
가랑잎만 무수히 쌓여 있고
멀리 연무들에 장병들의 구령 소리 들려오는데
그대의 산하에는 정적만이 흐르고
뱃구레를 적셔 줄 뜨거운 술 한 잔이 없구나
은진현 남쪽 시오 리 길
풍계촌 황산불사黃山佛寺에서
울화병으로 죽었다는 몇 자의 기록만이 있을 뿐
질풍 같은 원정의 세월은 마른풀처럼 쓰러져 울고 있
구나
사직도 백성도 뿔뿔이 흩어져 버린 날들
완산벌에 울려 퍼지던 북소리도 들리지 않는데
그대는 지금도 왕조의 꿈에 취해서
저 들판의 숨죽인 고요 속에서 타오르고 있는가
서리 묻은 신발을 끌고 황산의 언덕길을 서성이노니
쓸쓸하구나, 견훤의 무덤이여
자욱한 안개 속에 가랑잎만 무수히 쌓여 있고

그대의 산하는 지금 흐느끼고 있는 것이냐
아우성치고 있는 것이냐
저 멀리 연무들에 장병들의 구령 소리 쟁쟁하구나

만산 계곡에서

그대에게 가는 길이 보이지 않네
그믐날 내리는 눈은
잊혀진 마을 어귀에 쌓이고
갈 곳 없는 발길 남녘으로 흘러
화순 지나 능주 지나 도암에 이르렀건만
그대에게 가는 길이 보이지 않네

해리에서 어둔에서 마락리 고갯길에서
그대가 스치고 간 길을 찾아
얼마나 헤매었던고
저물녘 그대의 그림자를 밟아가면
대숲을 스치는 바람처럼 빠르기도 하지
그대는 어느새 가뭇없이 사라져버렸고
물들지 않는 마음만이 홀로 쓸쓸하였으니

그대가 주장자를 떨치고 떠나버린 길
더러는 남녘 바닷가에서 보았다기도 하고
더러는 누항의 유곽에서 보았다기도 하고

더러는 삼수갑산 어느 산골에서 보았다기도 하지만
그림자도 없고 자취도 없는 길
구름처럼 아득하였네

말로도 뜻으로도 갈 수가 없네
알 수 없는 능엄주楞嚴呪의 바다처럼 막막할 뿐
나의 그리움은 세월 저편
눈 그친 하늘에 홀로 솟은 구층탑처럼 외로우려니
바람 부는 들길 만장처럼 펄럭이는 길을 따라
오늘밤은 만산 계곡에 들 것이네

오호라, 그대가 내 마음속에 새기고 간
알 수 없는 노래여
풀잎 끝에 이슬인가 화로 속의 눈발인가
하룻밤의 꿈으로는 이룰 수 없는 사랑
저 무량한 파불破佛의 흔적으로 나뒹굴었으니
내 마음 가득히 눈물이 흐를 때
그대는 벌거숭이의 몸으로 미망의 끝을 보려 하는가

천 개의 돌 속에 숨어 있는 상처
천 개의 돌 속에 숨어 있는 마음
착할 때는 성자처럼 아름다웠고
악할 때는 비수처럼 날카로웠으니
이 겨울, 바람 부는 운주雲住의 골짜기
맨사댕이로 홀로 선 얼음부처여
만산을 가득 채운 석불의 미소로도 알 수 없으려니
나 그대에게 전할 소식 한 자가 없네

두우리 기행

그믐께 바다는 신열을 앓으며
속절없이 바윗돌 위에 쓰러진다
까무러칠 것 같은 바다의 파열음
술에 취해 떠돌던 염산이나 칠산 부근
슬픈 화인을 찍어주던 불빛처럼
다시 옛 시절의 거처를 떠돌아 본다
나는 한 세월을 허덕이며 무엇을 찾아 헤매는지
달도 없는 밤길을 걸어 두우리에 가면
거기 서툴렀던 스무 살의 사랑법이
화석처럼 남아 있고
불기 없는 민박집 처마 밑까지
바다 울음소리는 밀려든다
지금도 그대는 저 바다 앞에서
사무치는 청춘을 노래하는지
파도처럼 그리움의 벽을 넘어가는지
그대는 돌아오지 않고, 늦은 밤 홀로
풀포기처럼 앉아 술잔을 들면
이슬보다 더 아프게
바다는 온 천지에 몸을 부려 놓는다

고치령古峙嶺

이 깊은 겨울에 고치령을 넘는다
높고 쓸쓸한 고개
적막을 벗 삼아서 옛길을 넘는다

정축년 어린 왕을 구하러 밀사가 넘었고
평생 새끼를 꼬던 일자무식의 성자
해월이 넘던 길

처음엔 바람과 진눈깨비가 넘었고
눈 맑은 산짐승이 넘었고
칼 찬 병사들이 넘었으리라

태백과 소백이 몸을 나누던 곳
삼도의 물줄기가
의좋게 모였다가 제 갈 길로 돌아서는 곳

도화동인가, 선락골인가
고개 아래 마을에는 지금도

함경도에서 남하한 비결파의 후예가 산다

만났으면 헤어지고
머물렀으면 떠나는 것이
천년을 거듭해온 세상의 일

사랑의 일도 이별의 일도
비로소 때를 만나 고갯마루에 이르렀듯이
길을 따라서 한세상이 저물어간다

도솔봉 너머 흔들리는
부석의 저녁 종소리
어스름 산그늘에 고치령 길이 운다

산동애가 山洞哀歌

이제야 알겠네
봄날 노란 꽃송이들이
가지마다
주렁주렁 눈물인 것을

삭풍이 치는 동짓달
지리산에 들어
백부전이 불렀다는
그 노래

노고단 골짜기에 울던
화엄사 범종처럼
그렁그렁
설움이었음을

허물어진 폐가
흙바람 집에
종소리처럼 매달린

46

붉은 산수유

이제 알겠네
흰 저고리 검은 치마
산수유 아래 서 있던
누이의 마음을

이제야 알겠네
토벌대에 끌려가며
부르던 노래
지리산을 휘감고 도는 사연을

압록강에서

돌아와 묻노니
그대는 지금 어느 굽이를
흘러가고 있느냐
그대에게 전해줄 안부도 없이
울어줄 마음 한 자락도 없이
황망한 가슴 홀로 와 앉았으니
그대는 지금 어느 굽이에서
눈물짓고 있는 것이냐
바라보면 세월 저편
강촌에는 달맞이꽃이 피고
그대가 부르던 노래
저녁연기처럼 피어나는데
얼마나 많은 세월이 흘러야
슬픔은 유리알처럼 투명해지겠는가
낡은 비문碑文에 새긴 흔적을 따라
바람은 제국의 골짜기를 흐른다지만
무덤 속의 벽화처럼 흐릿해진 날들
애처로운 노을 속에

저무는 산하를 건너다볼 뿐
강물도 돌멩이처럼 말을 잊었구나
헛되고 헛되도다 옛터의 세월이여
꿈같은 시절도 돌 위에 새긴 영광도
세월이 지나면 물거품인 것을
무너진 성터, 옥수수밭 고랑에 서서
한숨뿐인 저녁별 하나
쏟아지는 어둠 속에 자맥질한다

시메나* 지나는 길에

언제나 그립습니다
사랑하는 일도
그리워하는 일도
서럽고 남루할 뿐
다시 돌아가지 못할 길을
나는 이렇게 떠돌아 흐릅니다
바다는 벙어리처럼 말을 잃었고
물결 너머 닿을 수 없는 시간은
터키석 푸른 빛깔로 펼쳐져 있습니다
물속에 잠겨버린 수중도시 시메나
사라져버린 항구의 노래는
산기슭 석관 무덤 속에 갇혀 있고
한순간에 무너져버린 사랑은
바닷속에 묻혀서
파편처럼 출렁이고 있습니다.
바람은 동에서 서쪽으로 불고
붉은 깃발 홀로 성채 위에 나부끼지만
바다로 간 사람들은 돌아오지 않고

보낼 수 없는 안부가
뱃전에 부딪혀 물보라를 일으킵니다
항구는 온종일 뱃고동 소리를 울리지만
길은 어디에도 보이지 않고
날 선 햇살이 쏟아져 내립니다
상처는 진주처럼 아물지 않았고
시메나 바다에는
알 수 없는 시간이 흐르고 있습니다

* 터키 남부 지중해 연안에 위치한 해저 도시. 고대 해상무역의 중심지였으나
  지진으로 파괴되어 물 밑으로 가라앉았다.

제2부 부치지 못한 편지

길

바람에 휘날리는 옷고름 같기도 하고
골짜기를 흘러가는 시냇물 같기도 하고
귓가에 흐르는 구성진 노래 같기도 합니다

들판에는 무심한 햇살이 쏟아져 내리고
시골 아낙 서넛 장바구니와 함께 앉아 있고
고개를 넘어가니 텅 빈 시간 속에 정거장이 있습니다

덜컹거리는 시골 버스는 흙먼지를 날리고
산마루에 걸린 구름은 추억을 날리고
정처 없이 모두가 떠나가고 있습니다

먼 길

눈 내리는 백양의 길에서 너를 보리라
눈 내리는 죽림의 숲에서 너를 보리라

눈 내리는 자미의 정원에서 너를 보리라
눈 내리는 불회의 적막에서 너를 보리라

눈 내리는 운주의 바람 속에서 너를 보리라
눈 내리는 성산의 노래 속에서 너를 보리라

아아, 사약을 받고 쓰러지던 적소의 땅
처마 밑에 떨어지는 낙숫물에서 너를 보리라

봄밤의 눈물

다시 옛일을 생각한들
무슨 소용이 있으리
홀로 매화꽃 핀 뜨락에 서서
바람처럼 흩어진 날들을 생각한들
무슨 여한이 있으리
밤 깊어 산중에 적요만이 가득하고
검은 매화꽃 눈물처럼 피어나는데
다시 옛사랑에 목메인들
무슨 회한 있으리

초승달

초저녁 하늘빛에는
그리움이 담겨 있습니다
강물이 흐르는 작은 창가에는
미루나무 가지 끝을 살랑이는 하늬바람이 불고
산등성이를 서성이는 긴 그림자가 있습니다
지빠귀 울음소리 까닭 없이 서러운 날에
강물은 푸르게 하늘빛을 닮아가고
아주 먼 곳으로 가고 싶은 꿈들이
머릿결처럼 가지런해지는 저녁
산마루에 초승달 하나 걸려 있습니다
조각배처럼 애달픈 마음을 싣고
부르고 싶은 노래 한 소절이 걸려 있습니다
못다 꾼 꿈 한 자락이 걸려 있습니다

텃밭에서

사랑을 잃고 나는 보네
텃밭에 앉아서 우연히 발견한
도편陶片에 새겨진 문양을 헤아리듯
조각조각 부서진 추억을 보네

한때는 뜨거운 불꽃을 머금었다가
한때는 모여 앉은 식솔들의 밥이었다가
헤아릴 수 없이 무정한 날이 지나고
안쓰러운 기억을 쏟아내는 파편들

나는 보네
추억은 내 마음의 절개지
옥 같은 살결도 향기 나던 입술도
모든 것이 흘러간 세월이었음을

나는 보네
봄비 스치고 간 흙 속에 누워 있는
난초문이었던가 국화문이었던가

청람빛 수壽 자 새겨진 막사발의 유골

먼 훗날에 피어오르는 아지랑이처럼
속절없이 그리운 사금파리 조각 하나
대숲 바람 서걱이는 텃밭에 서서
스치고 지나가는 하늘처럼
사랑은 혼자 부르는 아득한 노래였음을

봄의 노래

나 그대에게 한 송이 매화꽃이고 싶었네
돌담 가에 피는 노란 산수유꽃이고 싶었네
나 그대에게 한 줄기 바람이고 싶었네
흐르는 시냇물에 부서지는 햇살이고 싶었네
토담 밑에 피어나던 수선水仙 같던 누이여
지난날 우리가 품었던 슬픈 여정을 기억하겠는가
꽃처럼 눈부시게 피었다가 사라져간 날들
해마다 찾아오는 봄처럼 영원할 줄 알았지만
사라져간 세월의 흔적만이 영원할 뿐
이제 흘러가는 강물을 바라보는 일처럼
추억의 그림자를 이끌고 서 있노니
지난 모든 봄이 내 곁을 스쳐가듯이
홀로 선 들길에 매화꽃 향기 가득하구나
돌아올 그 무엇이 있어
가는 봄을 그리워하리오마는
바람 부는 저 산하, 옷고름 같은 논길을 따라
가슴에 번지는 연분홍 봄의 향기를 따라
마음은 먼 하늘가를 떠돌아 흐르네

이팝나무꽃이 필 때

이팝나무꽃이 필 때
한 시절이 가네

밀양시 부북면 화악산 아래
저기 호숫가 기슭에 머물던 날이
다시 돌아오지 않네

비 그친 하늘에 쓸쓸한 바람이 지나고
눈처럼 순결하게 이팝나무꽃이 필 때
봄날이 가네

문을 열면 산그늘이 밀려오고
문을 열면 일각문 너머 빈 그림자
눈부시게 피어오르는 버드나무 잎새

그대는 영영 소식이 없고
구름처럼 무성해진 이팝나무꽃 아래
나 홀로 있네

부치지 못한 편지

돌아가면 그대에게 가겠노라고 다짐했네
쏟아지는 천지天池의 물줄기를 따라서
자작나무 숲을 지나는 바람결을 따라서
다시 그대에게 돌아가겠노라고 다짐했네

하늘에는 태평스럽게 구름이 피어오르고
바람은 가녀린 흰색 담자리꽃 뒤에서 불고
초원의 길이 처녀 아이 속살처럼 향기로울 때
그대에게 돌아가 노을처럼 슬퍼지리라 했네

눈 내리는 밤

눈 내리는 밤
나타샤를 사랑하고
혼자 앉아서 소주를 마시는 시인처럼
그렇게 나타샤를 사랑하고
세상을 버리고
깊은 산골로 들어가는 꿈에 젖습니다
가난하고 쓸쓸한 사랑
다시 품을 수 없는 세월의 언저리
회한처럼 눈은 내리고
바람도, 나무도, 소로길도
순백의 너울을 쓰고
겨울의 꿈에 빠져 있습니다
그런 밤, 나타샤는 오지 않아도 좋습니다
어디선가 설해목雪害木 한 가지가 부서져 내리고
삼나무 숲속에 내리는 눈송이의 화음이
밤의 적막을 달래줍니다
시간을 잊은 듯 고조곤히 눈은 내리고
모닥불 가에 앉아서 쓸쓸히 소주를 마시며
그리운 이름 나타샤를 생각합니다

초원의 노래

초원으로 가리라
밀원을 스치고 불어오는 저녁 바람을 찾아서
가없는 방랑자가 되리라
가서 이 몸 정도 주고, 이 몸 꿈도 주고
자줏빛 노을이 되어 하늘 끝까지 걸어가리라

넓고 넓어서 텅 비어버린 세상
길을 잃고 헤매는 나그네가 되리라
제국도 사랑도 영원하지 않았지만
오직 계절 따라 피는 풀꽃과
쏟아지는 밤하늘의 별만이 영원한 땅
그곳에서 아득해진 세월의 길을 따라 걸어가리라

하루는 귀머거리가 되어서 초원의 노랫소리를 듣고
하루는 벙어리가 되어서 초원의 꽃들에게 말을 건네고
하루는 눈먼 장님이 되어서 노을 속에 앉아 있으리라
언덕 너머 양 떼를 몰고 오는 목부들의 그림자에 날이
저물면

훈훈하게 타오르는 모닥불 곁에서
싫내 나는 마유주馬乳酒를 마시며
초원에 찾아온 어둠의 빛을 헤아려 보리라

초원은 떠도는 유목민의 고향
파란 불꽃으로 타오르는 고독이 흐르고
삶은 햇볕에 말라가는 조랑말의 배설물처럼 건조해져
아무런 가식도 없이 선한 짐승의 눈망울을 닮아 있고
들꽃 피는 길을 따라 그리움은 그리움을 낳고
아침 햇살에 빛나는 이슬처럼
초원은 슬픔을 소진하기 좋은 곳
그곳에서는 잠시 운명의 시간을 벗어놓아도 좋으리
부질없는 세상의 모든 날을 호명하여
눈물겹게 화해해도 좋으리
그리하여 나는 초원으로 가리라
초원에서 길을 잃고 헤매는 나그네가 되리라

초원에서

나 죽어
바람이 되었다가
구천을 떠도는
슬픈 하늬바람 되었다가
이승에서 지은 죄
흰 머리카락처럼 풍화되어
선한 눈빛 되었을 때
초원을 떠도는 악사가 되리

그대 뼈로 만든 피리
구멍 속을 빠져나오는
주인 없는 노래가 되었다가
어느 무정한 길손의
발길에 머무는 노래가 되었다가
그대가 오시는 날
모닥불 가에서
피리 부는 떠돌이 악사가 되리

자작나무 숲에 사는
늙은 숫양의 노래처럼
처량하게 울려 퍼지다가
천둥이 울고 가는 날
적막한 하늘가에
마른번개가 칠 때
찰나 같은 이승에서 기억을 볼 수 있도록
밤하늘에 부서지는 노래가 되리

나 죽어
바람이 되었다가
구천을 떠도는
슬픈 하늬바람 되었다가
이승에서 지은 죄
흰 머리카락처럼 풍화되어
선한 눈빛 되었을 때
초원을 떠도는 악사가 되리

들쭉술

지난여름 백두산에서 사온 들쭉술을
눈 내리는 겨울밤에 홀로 마신다

아득하여라 한때
술에 취해 비틀거리며 보내던 때가 있었으니
한 시절은 그렇게 아득하고 꿈같은 것인가
혈관에서 뽑아낸 피를 탄 듯한 들쭉술을 마시며
가슴 뜨거웠던 날을 추억하노니

이 차가운 겨울밤에 들쭉술이여
쏟아져 내리던 장백폭포는 여전하겠는가
바람에 흔들리던 초원의 꽃들은, 자작나무의 잎새는,
그대의 귓가에 속삭이던 나의 말들은 여전하겠는가

그래, 세상사 모든 일이
그렇게 스치고 지나가는 것들이라 생각하며
문을 걸어 닫고 홀로 들쭉술을 마시나니
목젖을 뜨겁게 타고 내려 심장을 적시는

들쭉술이여
오늘 밤은 밀영지에 내리는 눈처럼 가뭇없다

나의 노래

당신이 향기로운 해풍이라면
바위틈에 뿌리내린 석향石香이고 싶어요

당신이 넘실대는 물결이라면
수평선을 떠도는 돛단배이고 싶어요

당신이 저녁 숲에 내리는 이슬이라면
함초롬히 젖는 섬바디풀이고 싶어요

당신이 하얗게 쏟아지는 눈발이라면
한겨울에 피는 붉은 꽃이고 싶어요

당신이 당신이 오늘밤에 오신다면
얼음장에 무성한 댓잎 자리이고 싶어요

감자꽃

감자꽃이 피었구나
그대 떠난 산모퉁이
유월 한낮 뻐꾸기 울고

감자꽃이 피었구나
흰 구름 흘러가는 산마루에
홀로 미어지는 가슴

감자꽃이 피었구나
사립문 열어놓고
처마 밑에 달빛 쌓일 때

감자꽃이 피었구나
감자꽃이 피었구나
감자꽃이 피었구나

잊혀진 정원

어디쯤이었던가
그대와 내가 처음으로 손을 잡았던 길이
떨리던 가슴으로 입맞춤을 하던 숲 그늘이
어디쯤이었던가

툇마루 끝에 앉아서 저녁별을 보다가
파초잎에 떨어지던 빗소리를 듣다가
소슬한 바람결에 마음을 열었던 때가
어디쯤이었던가

홀로 옛 정원에 돌아와 바라보노니
돌 위에 새긴 언약도 꿈처럼 사라지는 것
뜰 앞에 꽃잎은 시들어가고
허물어진 자취에 굴뚝새가 울고 갈 때
모든 것들이 폐허의 시간 위에 살았음을
나는 돌멩이처럼 깨닫는구나

어디쯤이었던가

그대 돌아서며 눈물짓던 곳이
담장 위에 풀처럼 멀어져가던 곳이
어디쯤이었던가

가을 숲에서

가을 숲에서의 사랑은 찰나와 같습니다
백양나무에 쓴 연서도
자작나무 숲에서의 입맞춤도
미루나무 잎사귀에 머물던 노래도
가을 숲에서는 모두가 찰나와 같습니다
가을 숲에도 달이 뜨고 은하수가 흐르고
바람 소리가 스치고 풀벌레가 울지만
모든 것이 불빛처럼 지나갈 뿐 기다려주질 않습니다
밀물처럼 깊어졌다 썰물처럼 애절한
가을 숲에서의 사랑
그래서 내 마음이 이렇게 서러운가 봅니다

나리분지에서

그 밤은 다시 오지 않으리
덤불 속으로 달빛이 수줍게 숨어들고
어둠 속에 번지던 꽃향기 맨살로 눕던
잠든 숲을 스치는 바람 소리 아스라하고
나무 새 한 마리 모닥불 속에서 춤을 추던
그 노래는 다시 오지 않으리
천년이 지나도 예스럽지 않고
안개 속에 서성이던 희미한 그림자
그 새벽은 다시 오지 않으리

연포에서

저물도록 강가에 앉아 있고 싶은 날입니다
뭉게구름이 피어오르는 언덕에 앉아서
흘러가는 강물을 바라보고 싶은 날입니다
세상사 이야기를 다 풀어내지 못하듯이
저녁 강물은 숨죽여 흐르는 듯합니다
가파른 세월의 여울목을 흘러와
연인처럼 발목을 스쳐가는 강물에는
서로를 헤아려주는 동병상련이 있는 것인지요
대답 없는 날들이 모래톱에 쌓여가고
강물은 또 고단한 시간을 이끌고
산모퉁이를 흘러가고 있습니다

달밤에

처음부터 예고된 길은 없습니다
바람에 흩어진 꽃씨처럼
서로의 영토는 달랐지만
모두가 운명 같은 길을 따라서 흘러갑니다
푸른 달빛을 받고 날아가는 기러기 떼처럼
허공에 흩어진 그 길을 따라서
우리는 지금 이곳까지 와 있습니다
돌아보면 얼마나 눈물겨운 길이었습니까
푸른 달빛을 받고 날아가는 기러기 떼처럼
돌아보면 얼마나 아득한 길이었습니까

등대

쓸쓸하구나
내 마음은 언제나 해 지는 등대 밑을 떠돌았으니
그대 먼 곳으로 떠나갔을지라도
옛 생각에 슬며시 그리워지거들랑
저물어가는 등대 아래
쓸쓸한 바람 속으로 돌아와주오

무정하였을지라도
그대 마음에 몹시 아픈 상처가 되었을지라도
내가 머물던 자리는
언제나 해 지는 바닷가 쓸쓸한 언덕
어둠 속에 홀로 선 등대와 같았으니
아무런 말도 없이 그곳으로 와주오

먼 훗날 우리의 사랑이 잊혀졌을지라도
쓸쓸한 바닷가에 홀로 선 등대가 있거들랑
경쾌하면서도 슬픔이 배인 목소리로
노래를 불러주오

어둠 속에 보이지 않는 눈물이 되어
나는 그대의 옷섶에 부서지리니
검고 푸른 바다의 눈빛은
그 옛날 내 가슴속에 타오르던
뜨거웠던 사랑이라 기억해주오

제3부 시간의 풍경

고향

바닷가에서 살았습니다
작은 뻘 구멍을 기웃거리며
툭툭 모가지를 분질러 보는 파도
내 고향은 바닷가입니다
파도는 모래톱에서 옷자락을 나부끼고
갈매기 울음소리가 밀려와서
바다 가까운 곳은 반쯤 가라앉은
언덕이었습니다
그곳에 나의 집이 있고
물결 속에서 등불을 반짝이며
술 취한 아버지가 돌아왔습니다
바닷가에서 살았습니다
슬픈 날이면 바다는
산봉우리처럼 들썩이고
해송들은 얼굴을 찡그리며 울었습니다
물 먹은 모래처럼 가슴을 풀어놓고
어머니는 또 긴 세월의 이야기 고개를 넘어가고
바다는 그 사연들을 헤아려주듯
토방 마루에까지 넘실거렸습니다

저녁에

부뚜막에 한 아이가 있었지요
들일 나간 어머니를 대신해
식은 밥 한 덩이를 넣고 저녁밥을 지을 때면
마른 솔가지 타듯 가마솥 안이 조바심이었습니다
사이렌 같은 쇳소리를 내며 김이 오르고
피식피식 밥물이 흘러내릴 때면
부지깽이로 불땀을 끌어내 열기를 낮추고
연기에 오줌발을 갈기며 매운 눈물을 흘렸지요
검게 윤이 나는 무쇠솥에 흘러내리던 밥물처럼
가끔은 서러운 날이 있던 시절이었습니다
"아따 내 새끼 오늘 밥은 질지도 되지도 않게
잘 되어부렀구나"
푸성귀를 챙기시던 어머니의 손길에선 바람 소리가 났고
솥뚜껑을 열면 얼굴 가득히 안겨 오는 구수하던 밥 냄새
뒷담에 살던 머슴새의 울음보다 더 정겹던
저녁이었습니다

등피 닦던 날

등피를 닦던 날이 있었습니다
나직이 입김을 불어 그을음을 닦아내면
허공처럼 투명해져 낮빛이 드러나고
그런 날 밤 어머니의 등불은
먼 곳에서도 금세 찾아낼 수가 있었습니다
그믐날
동네 여자들은 모두 바다로 가고
물썬 개펄에는
거미처럼 움직이는 불빛들로 가득했습니다
어둠 속에서 보는 바다는
분꽃 향기 나던 누이들의 가슴처럼 싱그럽고
조무래기들은 모닥불을 피우고
북두칠성이 거꾸로 선 북쪽 하늘을 향해
꿈을 쏘아 올렸습니다.
묵은 시간의 표피를 벗겨내듯이
밤하늘에는 알 수 없는 이야기들이 가득했고
범바우골 부엉이가 울고 가도록
어머니의 칠게잡이는 끝이 없었습니다

임종

빈 배 한 척이 물가를 떠돌고 있었네
이승에서 보내는 아버지의 마지막 밤
산 위에는 둥근 달이 떠 있고
어디선가 쏙독새가 우는 것도 같은데
서풍에 밀려서
물가를 떠돌던 외로운 배 한 척
더 이상 움직이지 않았네

가을밤

어머니
박둑거니 서 마지기 무논에는
오늘 밤도 기러기 떼가 날아오르는지요
동네 사람들 모두 돌아간 뒤에도
우리 집 논에는 언제나 긴 그림자 부산거리고
기러기 떼는 산 밑에서 바다 쪽으로 날아오르고 있었
지요
팔에다 무명베 토시를 낀 누님이랑
명아줏대처럼 취해 계시던 아버지랑
긴 논둑길을 따라 벼 날가리를 헤아리던 나는
산그늘처럼 깊은 어둠 속에 서서 밤하늘을 바라보았지요
어덩 밑에 풀 뜯던 송아지의 워낭 소리 짤랑거리고
분둣골 제각에 남폿불이 깜박거릴 때
우리 집 논에는 푸짐하게 내리던 달빛이 있었습니다
제금을 나와 처음으로 장만했다는 서 마지기 논에는
논뺄보다 깊은 희망이 있었고
신명이 든 나는 줄지어 달리며
벼 날가리를 몇 번이고 헤아리며 셈을 하였지요

바다에서 산 밑으로 다시 기러기 떼가 날아오르자
긴 한숨을 내쉬던 아버지가
언젠가는 우리도 저 새들처럼
먼 곳으로 날아갈 것이라고 하셨지요
어머니
지금도 서 마지기 무논에는 그해처럼
기러기 떼가 날아오르는지요
내 마음속에는 지금도
무서리가 내리던 그날의 푸르스름한 달밤이 있습니다

옛집

무너진 흙담 아래
늙으신 아버지의 기침 소리가
풀꽃처럼 흔들리는 곳
긴 겨울밤을 지새우던 쇠죽방
구들장은 무너져 내리고
두레박 속에 메아리를 건져 올리던
우물도 말라버렸지만
그리운 곳에 옛집이 있다

뒤란 동백나무 숲속에서 꽃잎을 줍고
술래가 되어 헤매던 화살바위에서
먼 세상을 그리워하던
생각하면 밤하늘의 별자리처럼 꿈이 많던 곳
봄이면 장독대에 살구꽃이 날리고
가을이면 담장 밑에 과꽃이 피어나고
비가 내리면 개울가에 나뭇잎 배를 띄우고
눈이 내리면 보리밭에 꿩 덫을 찾아가고
생각하면 저녁노을처럼 그리움이 퍼지는 곳

기러기 떼 울고 가는 차운 하늘에
그리운 사연 무명 솜처럼 띄워놓고
막차의 서늘한 불빛처럼 떠나온 곳
언덕 위에 삐비꽃처럼 흔들리는
애처로운 나이가 되어
문득 되돌아와 바라보는 곳
아직도 여물지 않은 유년의 사랑이 있고
못다 부른 노래가 있다

제비집

자식도 떠나고
세상 버린 이녁도
영영 떠나버리고
노모가 홀로 사는 고향집에
제비가 집을 지었다

수만 리 강남 길을
짝을 지어 날아온 제비
간척지 흙을 물어 와
소쿠리 같은 거처를 마련하고
그 속에서 오순도순 알을 낳고
털복숭이 같은 새끼들을 키우더니
밤이 되면 깃털 속 체온을 나누며 산다

작년에는 느그 아부지 돌아가실라고
제비도 집을 짓지 않더니
올해는 삼짇날도 되기 전에 집을 짓드란 말이다
가진 것이라고는 입뿐인 새끼들

진종일 먹이를 날라 오는 제비처럼
노모는 오늘도 자갈밭을 일구시고
깊은 밤 홀로 깨어 어둠 속에 계신다
뿔뿔이 흩어진 세월, 제비처럼 돌아올 정도 없고
자식들 앞세우고 강남으로 날아갈 꿈도 없지만
제비가 새끼를 많이 낳으면 풍년이 든다고
조선무처럼 쑥쑥 크는 자식들을 바라보던
아버지의 말씀이 그리웠던 것이다

칠월 건들장마 끝에 폭우가 쏟아지는 밤
지푸라기 재처럼 야윈
노모의 등을 어루만지다가
막걸리 한 사발을 들이켜고
깊은 수렁 같은 삶에 빠져서
밤새 천둥소리를 듣는다

매화송

산밭에 매화꽃이 피는가 보다
아버지 돌아가시고 심은 150주의 매화나무
바람에 뿌리가 뽑히고 가뭄에 줄기가 마르더니
올해는 산밭이 환해지도록 꽃을 피우려나 보다
삼월에 내리는 눈을 맞으며 나는 몸살을 앓는다
뼛속까지 시린 추위가 스미고
살갗에서 찌릇찌릇 열꽃이 피는 것을 보니
저 홀로 추운 시절을 이겨낸 산밭의 매화나무가
말간 꽃송이들을 피워내고 있는가 보다

어디선가 팔려온 어린 매화나무 묘목이
우리 집 산밭에서 뿌리를 내리고
이른 봄에 꽃을 피우며 어른이 되어가듯이
사는 일이 그렇게 옹이질 때가 있다
적막한 들판의 밤을 지나 꽃샘추위가 닥쳐오듯
어찌 순풍의 날만 있겠는가
서러움과 치욕과 부끄러움마저도
뿌리 밑을 지나는 수맥처럼 흐르고 있으니

사람이건 매화나무건 이 땅의 존재들은
그루터기마다 그렇게 사연을 간직하고 있다

해마다 봄이면 매화꽃을 찾아 떠돌았다
제 몸이 욱신거리듯 꽃송이마다 아픔인 줄 모르고
꽃의 환희에 들떠서 봄날의 우수가 깊었다
비가 내리면 비에 젖었고
바람이 불면 흩어지는 꽃잎처럼 쓸쓸했고
날이 저물면 잊혀진 고가古家 매화꽃 아래 잤다
장구목에서 와송당에서 산천재에서 무우전에서
그 꽃이 해마다 눈물인 줄 모르고
부질없는 발길 남녘으로 떠돌았다

복사꽃 편지

아버지, 여기는 복사꽃 피는 봄날입니다
그곳에도 버들피리 소리 들려오는 봄날인지요
올 청명절에는 고향에 다녀오지 못했습니다
산밭에 꽃들이 만발했다고 하고
산소에 파랗게 새싹이 돋아나고 있다고 합니다
어머니는 여직 짱짱하십니다
억척스런 성정 그대로 농사일을 놓지 못하셨습니다
아버지, 세상에는 늘 그렇듯 시비가 많고 갈등이 많습
니다
저는 그 모든 곡절로부터 벗어나 여전히 산천을 주유
중입니다
부와 명예를 얻어 집안의 자랑이 되지는 못했지만
제가 떠도는 길에는 온갖 꽃과 자유로운 바람이 가득합
니다
그 길에서 봄비를 맞으며 홀로 밭을 가는 촌로를 보기
도 하고
꽃그늘 속에 누워 있는 주인 모를 무덤을 보기도 합니다
꽃들은 저마다 향기와 자태와 기품을 가지고 있는데

그중에서 난만한 복사꽃을 볼 때면 저는 혼자 슬며시
웃곤 합니다
"어쩐다고 복사꽃은 술 취한 우리 아부지 술기운처럼
저리 원색적으로 피어난다냐" 하고
아버지, 마음 쓰기에 따라 시방세계가 일념에 도달하기
도 하고
천 길보다 멀리 떨어지기도 한다는데
그곳이 그렇게 멀다고는 하지만 까짓것
달밤에 잿드목 고갯길을 넘어오듯 내려오셔서
남냉이 들판이 떠나갈 듯 우렁우렁 한번 해보시지요
아버지, 이승의 무덤가에는 슬픈 산자고꽃이 피었습니다
아버지의 육두문자 같은 복사꽃도 피었습니다
저는 며칠 후면 그 복사꽃을 보러
황장재를 넘어 오십천 물길을 따라갑니다
그 길, 복사꽃 흐드러진 어느 마을의 주점에서 만나
한잔하시자고 소자 문안 여쭈옵니다

辛卯年 四月 이레 봄비 내리는 날 次子本家平書

95

아버지

보리밭에 일렁이는 바람이었다가
나락밭에 서걱이는 빗방울이었다가

만대산에 내려앉은 구름이었다가
무지랫봉에 떨어지는 노을이었다가

박둑거니 솔밭 길을 걸어오는 햇살이었다가
둔주포 장터에서 돌아오는 저녁 불빛이었다가

뒤란 대숲 속에 잦아드는 기침 소리였다가
알 듯 모를 듯 이어지는 잠꼬대였다가

배나무골 산밭 흙 속에 앉아 계시네
푸짐한 달빛 되어 앉아 계시네

범태상회

아버지가 열무김치에 쓴 소주를 마시던 곳이다
곰살궂게 쫀득거리던 고무과자에 군침을 흘리다가
기어이 호주머니 속 달걀 두 알과 바꾸어 먹던 곳
학용품도 팔고, 담배도 팔고, 막걸리도 팔고,
백 점을 맞을 수 있다는 선생님의 전과도 팔던 곳
더러는 눈깔사탕을 훔쳐 먹었다는 무용담이 있었다
참새 떼가 모이던 방앗간처럼
조무래기 떼 떠들썩한 하굣길이면
목발을 짚은 상이군인 아저씨가
새초롬한 눈빛으로 째려보던 곳
국숫발처럼 얘깃거리가 쏟아져 나오는
중앙이라 불렸던 면 소재지의 점빵
지금은 어느 갯가 폐선처럼 쓸쓸하다
인기척도 없이 수북이 먼지만이 쌓이고
가설극장 포스터처럼 빛바랜 추억이 스친다
농협창고가 보이는 텅 빈 거리에서
우리 집 나락 가마니에 일등을 주지 않았다고
아버지가 고래고래 소리를 지르며
술에 취해 걸어오시는 것이다

옛길

이제는 그 길을 아무도 기억하지 않네
산막리에서 외호리로 넘어가는 솔무랭이 고갯길
나락 가마니를 실은 구루마도 넘고
콩대 뭉치를 실은 리어카도 넘던 길
저승에 가 계시는 아버지는 기억하실까
비 오는 날 도채비를 만나 왼다리를 걸어
안다리로 넘어뜨리신 무용담처럼
아버지는 지금도 그 길을 기억하실까
나는 그 길을 자전거를 타고 마산중학교에 다녔지
1976년 나는 뻘밭에 망둥이 같던 중학생
하릴없이 눈물이 많아 혼자 있길 좋아했지
아버지가 사준 자전거를 몰아 공세포 갯가에 가서
모래밭에 피어 있던 바다 멧꽃과 놀았었지
그 시절 나에게는 알 수 없는 노래가 있었지
적막한 바닷가에 파도가 밀려왔다 들려주고 간 노래
먼 하늘가 흰 구름처럼 피어났다가 사라져간 노래
그 노래를 따라 내 마음은 언제나 파도처럼 들떠 있었지
대낮에도 인적이 끊겨 어둡던 길

콧노래를 부르며 넘던 길
아버지는 지금도 기억하실까
술에 취해 널브러져 있던 그 길을
구만리 머나먼 나라 저승에서도 기억하실까
어느 객점에 취해서 헤픈 웃음 흘리시며 기억하실까
아, 나는 그 길에서 아버지를 보았지
빛을 잃은 눈동자, 길가에 짚더미처럼 쓰러진 아버지
죽은 듯이 쓰러진 아버지를 끌어안고 울고 싶었지
세월이 흘러 불초한 자식, 아버지처럼 48세의 아비가
되어
그 고갯길을 홀로 넘나니
아버지는 지금도 솔무랭이 고갯길을 기억하실까
길가에 쓰러져 몽롱하게 하늘을 보던 그 눈빛
지금도 이승에서의 그날을 기억하실까
쓸쓸한 마음만이 그 길을 홀로 서성이노니
산막리에서 외호리로 넘어가던 잊혀진 옛길
이제는 그 길을 아무도 기억하지 않네

벼꽃

벼꽃이 피는 줄 몰랐다
일흔여섯 노모가 홀로 가꾼 고래실논에
아들 삼 형제 논두렁을 휘저으며
고속용 분무기로 약을 뿌렸는데
아비 없는 자식들은
벼에도 꽃이 피는 줄을 몰랐다
이른 아침에 농약을 해야
벌레들이 잘 죽는다는 말은 기억했어도
벼 이삭이 배동할 때
멸구 약을 해야 한다는 말은 기억했어도
벼 이삭마다 솜털 같은 꽃이 피는 줄 몰랐다
그 꽃이 영물이어서
저녁 이슬이 내리면 피었다가
아침 이슬이 마르면 숨는다는 것을 몰랐다
들판의 벼들이 색시처럼 부끄러워
밤을 좇아 꽃을 피울 때 하는 농약은
우는 아이 얼리듯 삼가야 한다는 것을
하마 몰랐다

홀로 남을 노모를 위해 해충들을 잡을 속셈으로
벼 포기가 휘청이도록 세차게 뿌려댔다
세 아들 돌아가고 난 들판에는
벼들이 노여워 하얗게 죽은 꽃이 피었다고 한다
떠나간 자식 보듯 키운 벼들을 보며
논두렁에서 노모가 울었다고 한다
오메오메 애살스럽게 키운 내 새끼들아!
하고 울었다고 한다
그렇게 한참을 울다가
니미랄노므것 지까짓 것이 한 섬이 줄라디야
두 섬이 줄라디야 하고
툴툴 털고 집으로 돌아왔다고 한다

메밀밭에서

어머니의 가을은 산모퉁이 메밀밭처럼 하얗다
콩밭 머리 산두밭 지나 서숙밭 이랑 너머
양잿물에 삶아낸 속옷같이 하얀 메밀꽃
낯선 손님처럼 어쩌다 고향집에 들러
밭고랑에 허새비처럼 서 있는 노모를 보고
뭣한다고 이 더위에 들에 나오셨소 하면
이제는 됫박만큼이나 작아진 어머니의 메밀밭이
반가움 반 서러움 반으로 새하얀 빛이다
저녁 어스름이었을 것이다
방과 후 시오 리 학교에서 돌아와 산밭에 나오면
어머니의 가을은 쏟아지던 깨알만큼이나 풍성했다
백태 서리태 참깨 들깨 녹두 팥 수수 고추 목화
눈물 같은 세월이 짱짱하게 여물어갔다
수수밭에 반짝이던 햇살이 잠깐 사이 서산을 넘어가고
까치내 솔숲 너머 가을 바다가 붉게 물들어갈 때
달빛처럼 새하얗게 핀 메밀밭 가에서
어머니의 손길은 비구름 몰아치듯 했다
그런 세월이 이 들녘에서 헤아릴 수가 없다

금쪽같던 전답들 자식새끼 전세금으로 팔려가고
무덤등 닷 마지기와 아버지 묻힌 산밭이 남았다
그래도 후워이 후워이 후워이
산두밭에 날아온 새 떼를 쫓는 카랑카랑한 목청
그 목소리가 됫박 같은 메밀밭에 스며들었다가
저녁 들판 너머 노을 속으로 번져나간다
바람이 불면 주름나무 잎처럼 흔들리더니
소낙비가 내리면 방울방울 눈물이 맺히시더니
백발처럼 새하얗게 핀 어머니의 메밀밭
외롭다 못해 적막하고, 슬프다 못해 신성하다

머슴새

늙은 머슴이 만대산에 묻히고
이 새가 울었다 한다
스무날 달 그늘에도 하얗게
하얗게 새벽빛이 되도록
앞 다랑치 뒷 다랑치 소몰이하던
소처럼 눈이 컸던 머슴
늦바람이 정자나무에 머리채를 푸는 밤
만대산에 올라 대통소를 불고
밤이슬이 닳도록 산속을 헤매며
노랫가락을 뽑던 종가댁 상머슴
뱀 물린 장딴지에 쑥뜸을 하여주던
제재소 뒤뜰에서 쇠좆매를 맞고 죽은
나를 도련님이라 부르던 머슴
그 뒤로 쯧쯧쯧 이 새가 울었다고 한다
초저녁서 신새벽 그 긴 한밤을
쯧쯧쯧 쯧쯧쯧 뒷골 마을 텃논까지
한 해도 빠짐없이 속속이 우는 새
골샘물도 마르는 가뭄이 닥쳐오면

천 서방이라 부르던 머슴 이야기를 했다
당골네 제 에미 아들 생각에
총총히 솔잎 모아 먼 갯물 적셔
사시장철 더운 날에 비 뿌려주신다던
천 서방의 진혼곡을 되뇌이곤 했다
비가 올 것이라고
하지해가 질꽂으니 비가 올 것이라고
비가 올 것이라고 모를 내야 한다고
가뭄을 못 이긴 사람들은 밤봇짐을 싸는데
하늘지기 천수답 산다랑치 논에도
모를 내야 한다고 면서기가 연설하는 밤에도
쯧쯧쯧 쯧쯧쯧 물갈이 마른갈이 휘몰아쳐
빈들의 어둠을 갈아엎는
천 서방의 쟁기 모는 소리를 들었다
달빛 젖은 만대산이 조금씩 움직이는 밤
대퉁소를 불어주던 천 서방 생각에
주인 잃은 조선낫을 숫돌에 뉘여
시퍼러이 시퍼러이 날을 세웠다

옛 생각

아주아주 어릴 때였습니다
외할머니 집에 갔다가 돌아오는 길에
웬일로 울음보가 터져버린 날이 있었습니다
서당등 솔밭을 지나
청호쟁이 모퉁이를 지나면서 시작한 울음은
노하리를 지나고 산막리를 지나고
솔무랭이 잿등 숭어바위를 지나오도록
그치지를 않았습니다
이산태 동백나무 숲에 주저앉아 한참을 달래보았지만
방천난 논두렁처럼 줄줄 새는 눈물은
멈춰지지가 않았습니다
해거름이 된 뒤에야 울타리를 넘어와
뒷방에서 이불을 쓰고 흐느껴 울다가
잠이 들었던 날이었습니다

외갓집에는 옛날 이야기책처럼 서글픈
할머니가 두 분 계셨습니다
평생을 자기 속으로 아이를 낳아보지 못했던 큰할머니는

106

곱게 비녀단장을 하고 화롯가에 앉아서
구성지게 옛날 이야기책을 읽어주었습니다
어머니를 낳았던 친할머니는 갈퀴손같이 일만 하시다
중풍을 맞아 오줌단지처럼 문설주에 앉아 계셨습니다
제 설움에 겨웠는지 할머니는
강아지처럼 나를 쓰다듬으면서
그렁그렁 눈물 바람이었습니다
소복소복 눈이 내린 날이면
어디선가 부엉이 한 마리가 날아와
할머니의 세월을 함께 울어주었고
철부지였던 우리는 오소리 새끼처럼
옛이야기를 졸라대다가
푸른 안개가 내리는 열두 강물을 건너
꿈나라에 들곤 했습니다

그해 겨울, 나는 초등학교 4학년이었습니다
보리밭 고랑이 넘치도록 쌓였던 눈이 녹고
개학 날짜가 다가오자 할머니 품에서

집으로 돌아오던 길이었습니다

"오오냐 내 새끼야 잘가그래이 명년 방학 때 또 오그래이"

서당등 솔밭을 지나면서 할머니의 인사가 귓가에 울려퍼지자

세차고 매서운 겨울바람 탓이었는지

나의 길은 하염없이 눈물의 길이었습니다

그리고 가뭇없이 잊혀진 세월을

낯선 길로만 헤매고 다녔습니다.

광원암에서 불일암으로 다시 감로암에서 부도암으로

오늘은 조계산의 가을 숲길을 헤매는 길손이었습니다

가장 늦은 때를 기다렸다가 가장 화려하게 타올라

조계산의 가을을 마무리 짓는

한 그루의 단풍나무를 찾아가는 길에

무너져 내리는 가을 숲의 숨소리를 들었습니다

그 길에서 한참을 서성이다가

나는 길을 잃어버리고 말았습니다.

그러다 불현듯 아주아주 어릴 적
외갓집에서 돌아오던 길을 생각하게 되었습니다
초등학교 4학년짜리 아이가 되어서
엉엉 울면서 깊은 산중을 헤매고 싶은 날이었습니다

겨울 외호리

겨울 고향에는 까마귀 떼가 내려와 운다
눈 쌓인 산모퉁이 보리밭 너머
모가지만 뎅겅뎅겅 잘려간 수수밭 머리
저승길 떠난 어른들이 수런대는 것 같다

바짓가랑이가 닳도록 다녔던 길이다
그 길을 따라서 덧없는 세월이 흘렀다
빈 들이 설움을 토하듯
이 골 저 골, 차고 시린 바람이 휩쓸고 다닌다

문을 열면 옛이야기처럼 실개천이 흐르고
문을 열면 처마 밑에 기운 달이 툇마루를 비추고
문을 열면 푸른 별들이 밤의 향기를 토해내고
문을 열면 저녁 강물을 따라서 아득해지던 길들

삼동에 무얼 하는지 집마다 인기척이 없다
펄럭이는 바람 소리에 이따금 개가 짖고
얼지 말라고 틀어놓은 수돗물이

저 홀로 넘치다 흐르다 날이 저문다

돋보기, 책력, 주민증, 서툰 글씨로 쓴 부조기록장⋯
선친이 쓰던 물건들은 모두 깊은 잠속에 빠져 있다
족보를 펴놓고 아득한 세월을 헤아려 보다
벙어리처럼 말을 잊고 한숨을 쉰다

눈 내린 날 아침에

섣달 그믐날
겨울 달빛처럼 본가本家에 들었다

자정 무렵 맹진을 지나
만대산 그늘로 접어들 때

스치는 불빛 사이
아버지의 옛길이 환하다

그리 단단할 것 같은 세월이더니
하염없이 여린 바람이 분다

산지기집은 이미 흉가가 되었고
뒷산에 무덤이 여럿 늘었다

노모랑 밤새 뒤척이다
깜박 잠든 사이 흰 눈이 내렸다

나는 창문을 열고 가만히 물어본다
어디서 찾아온 그리운 소식이었느냐고

삐비꽃 연가

망종 무렵은 모내기 철이었다
산밭에는 보리가 누렇게 익어가고
분듯골 산지기가 살았던 골짜기에서 뻐꾹새가 울었다
이 골 저 골 뻐꾹새가 우는 사이
휘모리장단으로 몰아치는 아버지의 쟁기질 소리에
논흙은 속살을 드러내며 가지런히 모로 누웠다
물뱀이 살랑거리며 헤엄쳐가는 논둑길을 따라서
첫 교시도 마치지 않고 조퇴를 받아온 나는
모판에서 쪄온 탐스러운 모 타래를 힘껏 내던졌다

산자락을 따라서 등고선처럼 이어진 다랭이 논은
옆구리가 늘었다 줄었다 늘어지기 일쑤였다
눈대중으로 그 바다 같은 논바닥을 힐끔거리며
하루 종일 모꾼들과 어울려 고함지르며 못줄을 넘겼다
박둑거니 서 마지기를 심고 새참을 먹은 모꾼들은
두 마지기를 거쳐 주막 밑 너 마지기쯤에서 점심을 먹
었다
차일처럼 드리운 도래솔이 선 할아버지의 무덤가

그 띠풀밭에 어머니의 밥 광주리가 펼쳐졌다
미나리 회판에 김이 모락모락 나는 흰쌀밥, 뜨거운 미
역국,
온 동네 사람 모여들어 들밥을 먹고
오월 햇살 아래 쓰러져 누우면
소복을 입은 풀각시처럼 너울너울 춤추던 삐비꽃
거머리가 물린 장딴지에 그 꽃잎을 따 바르고는
흙먼지 날리며 도망치듯 달리는 막걸리 차처럼
나는 서울이란 낯선 곳이 마냥 그리워졌다

한 세상이 그렇게 갔다
소원처럼 머나먼 서울 사람이 되었고
아버지는 벌써 삐비꽃 우거진 무덤 속으로 가셨다
들녘에는 이제 아무도 손 모를 내지 않는다
쟁기질하는 아버지도 못줄 잡는 아이도 없다
네모반듯한 논바닥에서 이양기가 혼자서 모를 낸다
이슬 내린 새벽길과 저무는 들길의 순정이 사라지고
아버지를 통해 훈육되던 노동이 사라져버렸다

무덤가에 삐비꽃이 하얗게 피어서 봄날인 줄 알겠다

가묘假墓

— 소암공小嵒公 이채근전李菜根傳

해남에서 전화가 왔다
아버지께서 손수 가묘를 쓰셨단다
솔가하여 처음으로 장만한
배나무골 산밭에
터를 잡으신 모양이다

숭악한 자갈밭이라 간척지 갯흙을 퍼와 돋우시고
그 위에 황토흙을 폭신하게 깔으셨단다
백포 댁네 억센 집터를 사드려 서른일곱 살에
기역자집 초옥을 헐어버리고 번듯한 기와집을 지으셨다
그 집에서 4남 2녀 자식을 모두 건사하고
일흔여섯에 두 번째 성주를 하신 거라고 어머님은 말씀
하신다

아명이 소바우라 불리었던 아버지
오지다는 뜻으로 오바우라 불렸던 백부님의 뒤를 이어
작은 바위 소암小嵒이라 불리기를 자청했는데
한 생애가 산기슭 작은 바윗돌처럼 단단하고 정확하셨다

117

첫 살림 시작하실 때 종잣돈을 모아 논을 사들인다고
누님은 상급학교에 진학도 시키지 않았지만
이후로는 당신이 원하는 만큼 자식들을 뒷바라지했다
자식 넷을 대학 공부시키면서
한 번도 남의 돈을 빌려 보지 않은 농사꾼이 몇이나 되
겠는가
작은 돈에는 자린고비처럼 냉정하셨지만
큰돈을 쓰시는 데는 하늘처럼 대범하셨다
아버지는 겉보리 서 말로 시작한 제접 살림이 한이 되
셨는지
여섯 자식 모두 전세금까지 마련하여 여우살이 시켰다
그리고 때가 되자 금쪽같은 땅을 처분하여
닷 마지기씩 공평하게 분배하고 나머지는 봉토로 묶으
셨다
그렇게 아버지의 살림살이는 한 번도 휘청거린 적이
없다
소바우처럼 언제나 짱짱하셨다

아버지의 살림은 무에서 시작했다
9남매 자식을 두고 선도仙道에 심취하여
만주까지 떠돌았던 할아버지!
소년 시절 아버지는 맨발로 무지랫봉을 넘어
양군네 소학교에 다니셨고
개떡으로 끼니를 채우시다가
사람으로 태어나서 밥은 먹고 살아야겠다는 작심으로
산막리 부잣집의 깔담살이를 자처하셨단다
치렁치렁한 철나무짐을 짊어지고
바닷물 넘실거리는 둑방길을 지나 산막리로 넘어갈 때
할머니는 사립문에 서서 날이 저물도록
내 자석아, 내 자석아 하고 가슴을 치셨다고 한다
아버지는 그 하염없는 길에서 인생을 배우셨는지
평생 유약하신 적이 없었다
위암 수술을 받으러 상경하셨을 때에도
살면 살고 죽으면 죽는 것이라고 담대하셨고
전대에서 당신이 마련한 수술비 오백만 원을 내놓으셨다
수틀리면 어떤 놈한테라도 엉겨 붙던

오기와 배짱, 고약한 성질머리까지
집념으로 일가를 이루신 모습 그대로였다

맨손으로 시작하신 아버지가
마을에서 손꼽히는 부농으로 일어선 일을
사람들은 할아버지가 암장暗葬했다는
은적사 뒷등 명당바람이라 말하기도 했지만
성년이 된 후에야 나는 그 내력을 알게 되었다
아버지는 전쟁 통에 입대 영장을 받았고
젖먹이 딸과 어린 아내가 눈에 밟혀
몇 번이나 병역을 기피하다 원주 보충대로 입대했다
어머니는 어린 딸과 남의 집 곁방살이를 하며
입대 전 아버지가 사두고 간 송아지를 실하게 키워
그 소를 새끼 내어 살림 밑천을 삼았다
그리고 아버지 제대 후 소를 팔고 4년 동안 저축한 품
삯을 합해
배나무골 닷 마지기 자갈밭을 마련한 것이다
자갈밭이 서 마지기 수렁논으로 늘어나고

다시 바닷가 원안의 개답으로 불어나고

그렇게 아버지의 전답은 산지사방에 흩어진 자투리땅

이었지만

기름지게 일구어서 장원 농사를 이루었고

급기야 땅심 좋다는 팔만이아재 옥답까지 사들이게 되

었다

어릴 적 술 취하신 아버지의 밥상머리에서

귀에 못이 박히도록 들은 말이 있다

사자는 새끼를 낳으면 절벽으로 데리고 가서 떨어뜨려

버린다고

그리고 살아서 기어 올라온 놈만을 키운다고

느그들도 사자 새끼들이 되라고

그러나 자식들은 너구리 새끼처럼 고만고만했고

당신도 냉혹한 사자가 되지는 못했다

아아. 우리 아버지 문자 속도 대단하셨다

어디서 배웠는지 공맹의 글귀가 술술 나오고

칠언절구 한시도 줄줄 암송하고

삼국지에 조선왕조 궁중 비사까지 막힘이 없었다

글 쓴다는 아들이 백일장 장원 상장을 보여드리자

마포가馬浦歌를 지어 원주이씨 내력이 깃든

산천 이야기를 멋들어지게 풀어내주시고

해남답산가를 지어서 당신의 문재를 자랑하기도 했다

향교 장의가 되신 후에는 도포 자락 휘날리는 출입이 잦으셨고

경술년 한해旱害 때는 범골안 산성 밑에 방죽을 쌓기도 하고

문중 대소사를 주관하고 선영에 비문도 직접 써 세웠으니

아따, 저 양반 배웠으면 크게 한자리했을 거라고 했다

하지만 우리 아버지 허물 많은 사람이셨다

군대 시절 배운 술버릇이 고약해 구설수가 잦았다

평소에는 샌님처럼 얌전하시다가도

취하시면 어디서 기운이 나셨는지 온 동네를 휘젓고 다녔다

오밤중이 되어도 돌아오실 줄 몰라서
어머니는 애간장이 녹으셨고 우리들은 고샅길을 헤맸다
"우리 아부지 안 왔습디요"
"아부지 싸게 집으로 가잔 말이요"
그날 이후 나는 술을 먹지 않겠다는 게 인생관이었다
중학교 때 보리베기 인솔 나온 선생님께 삿대질을 해
댔고
물꼬 싸움을 하느라 남댕이 들판을 쩌렁쩌렁 울리기도
했다
조금만 비윗장이 거슬려도 니기미 씨박것! 욕도 잘하
셨다
그래도 우리 아버지 뒤끝이 없으신 분
술 깨면 그만이고 돌아서면 그뿐이었다
남의 집 일은 내 일보다 성심이었고
밥 굶는 사람에게는 인정도 많으셨다
평생 말을 앞세우지 않았고 너스레치지 않았다
분수에 넘치는 일은 꿈도 꾸지도 않았고
매사가 자로 재듯이 분명하고 정확한 사람이셨다

아아, 못 말리는 우리 아버지 벌써 자찬 묘지명까지 쓰
셨다 한다
  비석에 기록할 손자들의 한자 이름을 물으신다
  위암을 이겨냈다고 일 년 만에 농사일을 시작하고
  "이 맛난 것을 참고 백 살을 산들 뭣 한다냐" 약주도 하
시더니
  그예 폐 속에 바둑알만 한 구멍이 생겨나고
  이제는 길 떠날 채비를 하시는 것인지
  망설이던 산山일을 알리지도 않고 혼자서 하셨다
  뭣할라고 그라시요
  자식들이 비민히 알아서 할 것인디… 말끝을 흐리자
  아버지, 사람의 명줄은 하늘에 있고
  빈손으로 왔다가 빈손으로 가는 것이라고 한다
  내 손으로 조상님들 면례緬禮하고 입비立碑를 하였다만
  자식들 돈으로는 그런 호사를 누릴 수 없어
  처음으로 당신에게 거금을 들여 유택幽宅을 만드셨다
한다

석물도 넉넉히 큰 것으로 하여

  비석 일곱 자, 상석 다섯 자, 망주석 여섯 자, 석등 여섯
자짜리로 했고

  어머니 이름 앞에는 댁호를 차용해 민해民海라 호도 붙
였다고 한다

  7년 대한大旱 왕가뭄에도 농사꾼은 씨오쟁이를 베고 죽
는다 하시더니

  아아, 우리 아버지 참말로 대단하시다

  대단하신 농사꾼이시다

  무섭기만 하던 아버지의 등짝에 업혔던 것은 아홉 살
시절

  할머니집 돌계단에서 무릎뼈가 깨졌던 여름방학 때였다

  핏덩이를 들쳐업고 소재지 의원에게 달려갔는데

  그곳에서 마취도 않고 열두 바늘을 꿰매어

  하얗게 드러난 종재기뼈를 겨우 감추었다

  생살을 찢던 아픔이 지금도 살아나는데

  그때 나는 아버지의 가슴팍에 파고들던 애처로운 짐승

같았으리

후로도 몇 차례 아버지의 등에 업혀 의원에 다녀오고

누에 솜에 참기름을 발라 상처를 아물게 한 후 한 철을 쉬었다

그 탓인지 나는 말수가 적어졌고 문학을 하게 되었는지 모른다

이름 자에 권세 권 자를 넣어 떵떵거리며 살기를 소원 하셨지만

재주 있다는 아들 떠돌이 글쟁이가 되었어도

싫타 글타 한마디 말씀도 없으시더니

비문에 쓴 둘째 아들 이력에는 자랑스럽게 시인이라 적 으셨단다

가슴 한복판에서 뜨거운 것이 목울대를 넘어오고

아버지 등에 업혀 십 리 길 의원에 가던 날

그날 따스했던 등허리에 스며들던 땀 냄새가 복받쳐 오른다

아, 우리 아버지 쟁기 모는 소리 일품이었다

이랴 이랴, 자라 자라, 어허 숭아, 쯧쯧쯧
쩌렁쩌렁한 목청으로 물갈이를 몰아치면
사나운 뿌사리도 고분고분 입김을 뿜어내고
독새기풀 무성하던 논바닥은 속살을 드러내며 가지런
히 일어섰다
막걸리 새참을 가지고 논두렁길을 달려가면
싱그러운 흙냄새가 안겨 오던 언제나 약동하던 봄날이
었다
논둑 하는 법도 배우고, 낫질하는 법도 배우고
모심기도 배우고, 벼 낟가리 쌓는 법도 배우고
우리 형제 고구마 줄기처럼 주렁주렁 매달려 들일을 배
웠으니
우리는 들판에서 인생을 배웠고 아버지의 자식이었다
아침이면 이슬 젖은 베잠방이로 풀짐을 부려내시고
달빛 좋은 밤이면 마람이나 매끼를 엮어 내일을 준비하
시고
큰비가 퍼부으면 우장을 쓰고 물꼬를 보러 가시던
아아, 그것이 모두 다 지나간 세월, 한바탕 꿈같은 이야

기였으니
　　사람의 인생이 이렇게 세월처럼 오가는 것인가
　　노래라면 끊어졌다 이어지는 육자배기 같고
　　꽃이라면 붉디붉은 동백꽃 같은 우리 아버지 한평생
　　만대산 기슭, 언제나 변함없는 작은 바윗돌 같으셨다
　　땅 위에 떨어져도 다시 한번 피고 지는 동백꽃 같으셨다

제4부 향로봉에 그리움을 묻고

눈길

눈길에서 돌아온 후 악몽을 꾼다
어지러운 발자국 탓인가
눈길에서 돌아온 후 때늦은 후회가 있다

어찌하여 나는 그 길을 갔던가
못 본 체 짐짓 돌아설 것을
어쩌자고 나는 그 눈길을 사랑했던가

쏟아지는 돌팔매 같은 눈길에서 돌아와
그 길을 사랑할 수도 미워할 수도 없어서
밤새 목젖이 닳도록 나는 악몽을 꾼다

겨울 노래

나의 산맥에도 겨울이 닥쳐왔다
길이 마음 달래줄 추억도 없이
참호 속에 말을 잃는다
장한몽의 기나긴 세월
어둠에 묶여 외롭기만 하던 고지여
이 겨울 보급로마저 끊기고
며칠 밤을 눈은 내려서 무릎까지 쌓이고
병사들의 초라한 잠꼬대까지
덮어버린다
먼 마을의 불빛도 눈발 속에 묻혀버리고
빛나던 맹세마저 적설의 높이를 이기지 못하는데
북풍의 찬바람만이 회한을 간직한 듯
잠들지 못한다
언 땅에 삽날을 찍으면
마른 눈물만이 흐르고
무덤처럼 적막한 세월을 넘는 겨울산이여
오늘밤 나는 옛사랑이 그리워
겨울 별자리처럼 외롭기만 하다

겨울편지

나는 일찍이 그대에게
사랑에 대하여 일렀거늘
그대의 슬픔 고난
말하지 않는 일상은 두렵기만 하다
지난날 어두웠던 마음의 갈피처럼
편편히 뿌려지는 흰꽃 송이눈
멀리 독가촌 불빛 하나를 이끌고 돌아오는
길은 보이지 않고 손바닥만큼 야윈
그리움은 외롭기만 하다
다시 무거운 여정이 저물고
그대여, 홀로 솔마지기 잿등에 서서
돌아보면 별똥별처럼
슬프게 살아온 우리
바다에는 눈발이 미칠 듯이 곤두박질치고
그대에게 작은 힘도 되지 못한 일이
눈길 걸어오는 발걸음마다 가슴 아프다
별빛 가녀린 넋을 겨울 벌판에 뿌려 두고
이제 저 산맥 위

슬픈 오두막집으로 돌아갈까 보다
향로봉 산맥에 큰 눈이 내리면
나의 그리움도 몸져누울 것만 같다

마지막 항구에서

어제는 항구에 가서 그대를 보았다
머지않은 눈보라의 예보가
그물처럼 내리고
저마다의 가난과 행복을
한 두릅씩 흥정하는 인파 속에서
흰 파도처럼 웃어대는 그대를 보았다

불현듯 그대가 그리운 날이면
나그네처럼 항구를 헤맨다
먼 바다의 추억으로
몸을 흔드는 깃발들
회선의 사이렌이 울고
무인등대 사무친 외침 속에서
바다의 꿈을 홀로 적시는 그대의 노랫소리

나는 그대를 향해 나그네의 길을 준비하리라
땅거미를 밟고 초병들이 들어서기 전
집어등 같은 희망을 달고 떠나가리라

134

흉어기의 뱃전에 그물코를 건져 올리며
그대의 겨울을 향해 떠나가리라

병영수첩 1

어둡고 암울한 시절이었다
그 시절 우리는
붉은 황토의 전술도로를 타거나
자작나무 억센 고지를 기어오를 때마다
흰 구름 너머로 눈물을 감추었다
언제일까
그리운 날들은 헤아릴 수도 없고
하염없이 흔들리는 보행이 있었을 뿐
그때 우리는 '창공은 나의 고향'이라는
노래 속에 묻혀 살았다
여울을 건너면
6·25 과부가 사는 독가촌 주막
허름한 탁자에서 취해 부르던
사나이 한평생 창공에다 벗을 삼고…
외로움이었을까
울부짖음이었을까
총검을 찬 일 개의 편대가
아스라이 산굽이를 돌아가고

미루나무 꼭대기에 화약 연기 날리는 숙영지
쓸쓸한 발자국 소리만 남아
정오의 눈부심 속으로 쓰러지던 노래여
창공은 낙원일까 천국일까
지금도 가슴속에 울려 퍼지는
이 노래는 무엇일까

병영수첩 2

그립다 벗
소한 날 밤 불어대는
저 드센 칼바람
저 들판 너머
얼어붙은 북쪽 강어귀
추운 불빛 아래
영하 20도의 싸늘한 가슴
그립다 벗
눈보라 휩쓸리는 산마루
이리처럼 사나운 자정
찬밥 한 덩이 삼키며
송정벌 지나
죽음처럼 이어지는
굽이굽이 부동리 고갯길
그대는 오늘밤
어느 곳으로 쫓겨가는지
어느 담장 아래 몸을 숨겼는지
칠흑 속에 마주치는 별똥별 하나
그립다 벗

병영수첩 3

비 내린다
네 모습 보이지 않고
큰비 내린다
붉은 흙 깎아내리는 계곡에도
산의 정수리에도
보이지 않는 저 바다에도
비 내린다

아파라, 눈물 같아라
내 사랑, 저 이름 없는 산맥 속에
통곡의 바닷속에 헤매이나
한낮의 수평선 하나
불안의 꿈으로 밀려오더니
시퍼런 파도, 비장하라 일깨우더니
끝내 그믐달같이 떠나갔나
천파만파 넘실넘실
만신의 피리 소리처럼 떠나갔나
붉은 산 붉은 바다

저 황톳빛 눈물 같아라
흐느낌 같아라

비 내린다
섬섬옥수 잔물결로
나를 다스리던 바다
네 모습 보이지 않고
큰비 내린다

동해로 띄우는 편지

지금은 향로봉 산맥에 묶여 있습니다
지난해는 금강산 아래 애꾸미 바다에서 살았습니다
손에 잡힐 것 같은 일출봉이랑 옥녀봉이랑 구선봉이랑
말무리 반도에 떠 있던 해 질 녘 눈부시게 빛나던 흰 섬
여섯 개
수평선 너머 막막했던 마음도 울었습니다
밤새 아무 말도 잇지 못한 채
그대는 이승의 가장 먼 저쪽에서 서성이고
이슬처럼 숨죽인 어둠의 초분 곁에서
대답 없는 날들은 수레바퀴처럼 밀렸습니다
멀리 청진 앞바다로 간다는 화물선 몇 척
길게 불빛 울음으로 떠올라 재갈 물릴 때
해당화 붉디붉은 물보라처럼 가슴만 태웠습니다

칠석날 오작교를 그리면
어둠을 질러 더 큰 오작교로 나오고
비바람 속 무지개를 그리면
새색시처럼 쌍무지개 띄우고

얼굴도 모르고, 목소리도 모르지만
난생처음 이렇게
슬픈 사랑을 시작한 우리
저곳은 배가 뒤집힌다는 해하도 근처
저곳은 북두칠성이 내린다는 만물상 바위
말무리 반도 발밑까지 비춰주면
너는 송도 앞바다
명호리 옛터까지 불 밝혀주고
해일이 일어 순찰조마저 잠든 밤이면
부르기도 전에 어김없이 찾아오는
그 빛 찬란한 신호 속에서
난생처음 이렇게
슬픈 사랑을 시작한 우리

쓰러질 것 같은 사랑을 지켜준 것은
머나먼 설산에서 피어난다는 에델바이스꽃이었습니다
쓰러질 것 같은 사랑을 더욱 슬프게 한 것도
머나먼 설산에서 피어난다는 에델바이스꽃이었습니다

우리가 사랑했던 불안의 깊이만큼 눈은 내리고
사랑의 기억마저 묻히는 철책 너머
오늘도 눈부시게 에델바이스꽃이 피었습니다
처음 그대의 깨끗함을 사랑하였고
그대의 순결함을 자랑으로 살아왔습니다
얼어붙은 전투호 영하의 처마 밑에서 그리운 편지를
적어
북풍 눈발처럼 날려 보냅니다
그대가 정녕 옛 맹세를 저버린다 해도
봄 강물의 따스한 숨결로 사랑하겠습니다
그대여, 길길이 눈보라에 덮여 장벽과도 같던
저 산맥이 우리들의 희망입니다
저곳은 우리들의 출발, 모든 싸움의 진지가 되었습니다
나는 산 넘어 산 넘어 망루에 올라
별빛 그림자를 밟고 맨발로 걸어오실
그대를 한없이 기다리고 있습니다

월음기의 노래 1

막사 주변 야생의 아카시아꽃이
서글픈 낮잠 속으로 몰아친다
어둡고 암울한 바다의 내면
꿈도 희망도 없는 병사들의 잠
돌아누우면 희미한 옛사랑도
수평선 너머로 흘러가버리고
바다에는 복어 떼처럼 뒤집힌
하얀 아카시아꽃
오월 내내 잠들지 못하고
시름 많은 가슴 위에 아카시아꽃이 진다

월음기의 노래 2

그것은 내가 간직한 비장의 무기였다
월음의 바다에서 가여운 넋은
폭풍의 물결 위를 떠돌고
조각배 한 척
해안선을 떠도는 혼령과 같았다
겨울이 와서
사랑했던 기억마저 잊혀지고
외로운 빛의 스펙트럼에
눈송이들만 난무했다.
얼어붙은 영하의 전투호 안에서
마지막 편지를 쓰고
보이지 않는 저편 향하여
포복하기 시작했다

산정에서

산정에는
한 줄기 바람이 일고
그대와 내가 지나쳐온 길들은
신갈나무 숲속에 묻혀 있다네

사랑과 미움이 교차했던 날들
세상의 길들은 산 아래 놓여 있고
비바람 휩쓸고 간 숲길을 지나면
하늘빛 호수에 눈물처럼 피는 꽃
행여 그리운 마음에
꽃 속에 누워 보면
지나간 날들은 꿈처럼 아득하고
기약 없이 구름만 흩어져 날리네

산정에는
한 줄기 바람이 일고
그대와 내가 사랑했던 날들은
신갈나무 숲속에 묻혀 있다네

가을의 서書

가을은 문풍지에 스미는 바람처럼 왔다

여름의 끝은 견디기 어려운 비난처럼 폐부를 찔렀고
어둠 속에서 들려오는 발소리처럼
삶이 불안해졌을 때
나는 말문을 닫아버렸다

마음속에는 누고 살고 있는지
문맹자의 서체처럼 삐뚤삐뚤하기만 하다
마른 풀냄새가 퍼지는 길섶에 앉아
지나온 날들을 헤아릴 수가 없을 때

가을은 둑방에 차오르는 사리 물처럼 서슴없이 왔다

네스또 파즈*에 바침

모닥불을 피우며 그대를 생각한다
춥고 외로운 벌판, 얼음꽃처럼 살다간 그대
거점이 떨어지고 강압철수가 시작되던
떼오폰떼 전투를 생각한다
더 이상 울지 말자 그대여
마지막 시를 수첩에 적으며
새로운 전선으로 떠나가던
그대 터진 발바닥의 참혹함
언 땅에 동지를 묻으며
이글이글 타던 분노
불꽃이라던 그대 목숨을 생각한다
내일일까, 모레일까
서릿발처럼 떠도는 조국
굶주림 속에서도 희망은 찾아올까
저 침묵의 마에스트라 산맥
기관단총의 장송곡에 묻혀
겨울 별자리처럼 살다간 그대여
얼어붙은 벌판에 모닥불을 피우고

타오르는 장작 속의 불꽃이라던
그대의 죽음을 생각한다

* 네스또 파즈는 볼리바아 혁명전사로 떼오폰떼 전투에 참가하여 게릴라 활동
을 하다 87일 만에 굶어 죽었다.

전역신고식 1

나는 이 자리에서 무슨 말을 할까
찬바람이 몰아치는 연병장을 떠나며
생활 잘하란 말을 할까
몸 건강하란 말을 할까
잘 가라는 수인사가 쏟아지는데
이별의 노래는 귓전을 때리는데
손등 터진 식기 당번 녀석들이 만들어준
가마를 타고 다시 못 올 강원도 산천
늦겨울 싸락눈이 뿌려지는데
펄럭이는 전투단 훈련 플래카드 아래서
나는 무슨 말을 해야 할까
더블백을 물고 뺑뺑이 돌던 시절
잠결에도 군가를 부르고
스치는 손길 하나에도 관등성명이 따랐지
진급식에도 줄빳다가 내려오고
잊혀진 생일날에는 반합 뚜껑 가득가득
소주를 마셨지
십 킬로 구보 백 킬로 행군

개머리판에 짓이겨 넘어오던 고개
개구리복 고참들을 보내던 날은
눈물이 앞을 가려 화장실로 달렸는데
이제 나는 이들 앞에서
무슨 말을 하고 떠나야 할까
더러는 디스크를 앓고 절뚝이며
더러는 제정신이 아닌 채 실려가고
애인마저 변심해버린 외로운 가슴들에게
"일등병 이등병 때는 빳다도 맞고 눈물도 흘렸지만
지금은 제대 말년 집에 가는 몸이랍니다"
이 노래가 끝나면 우루루 복장을 갖추고
구령 소리에 맞춰 훈련장으로 가야 할
고단한 저 가슴들에게
나는 무슨 말을 하고 떠나야 할까

전역신고식 2

잘 있어
뜨거운 손을 붙잡고
잔설 녹는 보급로를 따라
지난겨울 토끼몰이 하던 골짜기
우우우 우우우 마지막 손짓을 나누며

잘 있어
지난날 수많은 고개가 하산을 하듯
오늘은 왠지 눈물이 앞서고
진창길 황토마저 떨어지지 않는데
이제는 이 불길한 좌표를 떠나는 날
몇은 넋을 잃고 몇은 미쳐 실려간
이 불길한 전선을 떠나가는 날

잘 있어
그해 적근산으로 화성산으로 백암산으로
건봉산, 까치봉, 송도 앞바다까지
아리랑 포승줄에 묶여 끌려왔지만

152

언살 터져 겨울 산봉우리처럼 살아 있는지
진달래 피 붉던 어디
융단폭격이 내렸다는 갈대밭 어디
지금도 불빛 깜박이는 활엽수림 너머
절망의 푸른 옷을 나부끼며
돌아오지 않는 벗이여

잘 있어 잘 있어
외로울 땐 구만리 수평선에 마음을 주고
서러울 땐 건넛산 봉우리 물결쳐 달리던
내 오래디오랜 시름과 분노의 친구
겨울 향로봉 산맥이여
떠나는 길 물푸레나무 자취도 없이
동상 든 발가락 몇 개
잘 있어
22사단 55연대 4대대 14중대 2소대 말단 소총수여

작은 이씨 생각

예순 살 작은 이씨
서글프게 야윈 등짝에 붙어
오늘은 곡성 현장으로 간다
초라한 어깨너머 수은등이 쏟아지고
아직 떠오르지 않은 아침
잠들어 있는 도시의 골목을 떠나간다

어젯밤
함바집 싸늘한 바닥에 놓인
편지는 그리움 탓일까
해장술 한 잔에도 목이 메고
40년을 떠돌이 노동판에 바쳐온
작은 이씨 매듭 굵은 세상살이는
중고 오토바이처럼 덜컹댄다

그동안 몸 건강하였느냐
식기를 닦던 겨울
터진 손등 막소주로 달래주던

봉호리에서 장신리에서
대진, 저진, 거진, 향로봉에서
오랜 내 친구여
떠나와 철이 바뀌도록
낯선 세상에 두려움만 더하고
소식 한 장 띄우지 못하였구나

세상사 시름겨움도 톱밥처럼 분분한데
오늘은 호화저택 상판을 올리고
문득 바라보면 서산마루에 노을이 타고
그대에게 쓸 한 줄의 희망도 없이
숨죽인 강물처럼 저물어가는구나
막걸리 한 사발로 돌아오는 길
작은 이씨 안쓰러운 생각인지
성급한 나의 못질을 고쳐준다

꽃 무덤

산 위의 꽃밭에 홀로 누워 있네
사랑도 그만두고
그리움도 그만두고
바람 속에 홀로 누워 있네
구름이 스쳐가고
천둥이 몰려가고
모두가 떠난 자리
꽃은 후회처럼 피어나
누우면 저세상의 어디쯤
어둠이 내리고 별빛이 내리고
관棺을 내리는 종소리가 울릴 때까지
뼈만 홀로 누워 있네
넋만 홀로 누워 있네
혼불처럼 날아간 날들이여
화관처럼 아름다운 날들이여
꽃 속에 누워
바람 속에서 누워
하늘빛도 서러운 산 그림자 내리는

시간의 저편
사랑도 그만두고
그리움도 그만두고
산 위의 꽃밭에 홀로 누워 있네

해변의 나그네

망망한 바닷가의 해안선에 앉아서
저녁노을을 바라보았던 때가 언제였던가
어둠 저편에서 섬광처럼 기억의 웅덩이를 비춰주던
등대의 불빛을 바라보았던 때가 언제였던가
나 이제 한 권의 낡은 노트를 들고
그 바닷가의 추억 속으로 떠나가니
푸른 절벽과도 같던 지난날의 시간이여
붉게 타오르는 노을 속에서
한 유랑자가 앉아 있는 풍경을 기억하겠는가
가여웠던 영혼이 마지막으로 찾아가 멈추어 서던 곳
아무것도 헤아릴 수 없는 날들이었지만
바다는 한없는 깊이와 정열의 빛깔로
지친 삶을 위로하는 벗이 되어 주었으니
해변은 삶의 번뇌가 밀려와서 부서지는 곳
말과 말 사이의 숱한 부정교합이
물보라처럼 흩어져 소멸해가던 자리
몸을 뒤척이는 몽돌처럼 새로워지는 시간을 찾아
내 마음은 아득하게 떠돌고 있으리

화진포에서

바다에 와서 너의 안부를 묻는다
금구도 앞 마지막 초소에서
망망한 수평선을 응시하던 스무 살 시절
바다 곁에 누우면 슬픔의 뿌리까지 젖어 있었다

바다로 가는 길은 늘 정처 없었다
덜컹거리던 군용트럭이 취객처럼 당도하던 곳
바다에는 아직 생성되지 않은 언어들이
잔기침처럼 밀려오고 있었다

부서지는 파도처럼 주저앉아 세월을 헤아리던
바다라는 말에는 청춘의 순정이 묻어 있다
삶은 쭈그러졌거나 구멍이 뚫려버린 채
견고한 방책선 앞에 결박되어 있었다

손 내밀어 만지고 싶었던 바다의 내면
모든 것이 불확실하고 희미해졌을 때
모천으로 회귀하는 연어 떼처럼
병 속에 봉인된 추억이 도착했었다

칠산바다

지금도 칠산바다에 가면
길길이 해송들 사이
산발하고 울부짖는 미친 눈보라 송이
등 돌린 물결처럼 사랑은 젖고
지금도 칠산바다에 가면
열 평쯤 남은 수평선 너머
연사흘 눈은 내리고
외롭지 않게 흔들리고 싶은 가슴
온몸 가득 무릎 꿇고 연사흘 불어오는 바람
바윗돌마다 눈을 뜨고 죽어가는 푸른 목숨들
지금도 칠산바다에 가면
빈 마을 어귀로 속병 앓는 불빛이 돌아오고
해안으로 기어오르는 바다 울음소리
물썬 개펄 위에 해초들과 누워
먼 곳으로 보내는 신호처럼 내 곁에 일렁이고
지금도 칠산바다에 가면
열린 눈물같이 침몰해가는 겨울
숨어 있는 눈빛으로 입맞춤하는

길길이 해송들 사이 산발하고 울부짖는 바람소리
연사흘 펑펑 눈은 내리고 바다 울음소리
지금도 칠산바다에 가면
갈매기 발가락 도장처럼 슬픈
모래와 살을 섞는 취한 사내들의 목소리

존재의 저 뒤쪽 어디를 찾아 나선 자의 노래

김형수 시인

1

이형권의 시를 읽다 잠든 밤에는 꼭 슬픈 꿈을 꾼다. 그의 어디에 이렇게 간절한 마음이 숨어 있는지 모르겠다. 한차례 역사의 폭풍우가 지나간 자리에서 폐허에 취하고 절망에 중독되었던 시절에 함께 맡던 진한 허무의 냄새, 한도 끝도 없이 뒤를 향해 걷는 지독한 그리움의 냄새. 도대체 오늘의 약진에 참여하고 싶지 않은, 그래서 아침에 눈을 뜨는 의미를 어제 이전으로 돌아가는 일에 두고 싶은, 이 미필적 고의에 의한 퇴행의 열망을 피할 수가 없

162

다. 떠나지 않기 위하여 한없이 떠나야 하는, 무한 일탈을 향한 자발적 현실 반납이다.

2

시는 노래이다. 적어도 이 노래의 자질에서 이형권만한 재능은 흔치 않을 것이다. 열아홉, 스무 살 때 이미 검증된 얘기이다. 광주의 숱한 감식안들이 소년 이형권의 시를 찬미하던 시절이 있었다. 그가 재수생 시절에 썼다는 화제작 「머슴새」가 전남대 교지에 발표되었을 때도 문단이 들썩거리도록 소란을 피운 것은 그의 학우들이 아니라 선배 시인 묵객이었다.

　늙은 머슴이 만대산에 묻히고
　이 새가 울었다 한다
　(중략)

　뱀 물린 장딴지에 쑥뜸을 하여주던
　제재소 뒤뜰에서 쇠좆매를 맞고 죽은
　나를 도련님이라 부르던 머슴

(중략)

하늘지기 천수답 산다랑치 논에도
모를 내야 한다고 면서기가 연설하는 밤에도
쯧쯧쯧 쯧쯧쯧 물갈이 마른갈이 휘몰아쳐
빈들의 어둠을 갈아엎는
천 서방의 쟁기 모는 소리를 들었다

— 「머슴새」 부분

　풍속과 역사와 정치와 미의식을 단 한 줄기의 언어 형
상으로 통일해 내는 이 놀라운 감수성이 빚어낸 파장
은 얼마나 컸는지 모른다. 세상은 아프고 민심은 흉흉한
1980년대 중엽의 지방 도시가 흡사 르네상스를 맞는 듯
시의 미광微光에 싸였던 것도 그를 꼭짓점으로 한 후배 문
청文學靑年들이 출현하여 '혁명적 김소월'의 길을 다투듯이
발산한 탓이었다. 당연히 그를 앞세운 '광주청년문학회'
는 전국적 명성을 떨치며, 문화 전통과 고유 미학을 연마
하는 훈련장이 되었다. 내가 이형권과 어울려 다니며 문
학의 영광을 섬기던 기억이 매우 공적인 것으로 남아 있
는 이유가 여기에 있다.
　그러나 심미적 감수성은 훈련되면 될수록 비극을 인지

하는 능력 또한 키우는 법이다. 20대의 그로서는 잠시도 마음이 평온할 새가 없었을 것이다. 시골에서 올라와 학창 시절을 보냈던 청춘의 도시는 극심한 5·18의 후유증을 앓고 있었고, 그는 졸업 후에도 한동안 발목이 묶인 새처럼 달아나지 못했으며, 그렇다고 다시 치열한 전투성을 요구하는 역사 현장의 복판으로 돌아가고 싶어 하지도 않았다. 그러다 언제부터 그런 시간들이 죄다 후일담이 되었는지 모르겠다. 그가 한때 서울에서 출판사에 취직하여 교정지를 들고 다닐 때까지만 해도 다들 본격적인 문단 활동을 위한 예비 동작으로 추측했는데, 무엇이 재미없었던지 이내 퇴직해 버렸다. 대신에 카메라를 들고 한사코 도회를 벗어나 변방을 떠돌았다. 이후의 소식은 모두 풍문으로 전해 오고 있을 뿐이다.

여행은 불가피하게 현장과 불화하는 영혼이 세계를 사랑하는 형식이다. 누구나 발밑에 마음을 내려놓을 수 없으면 길을 나서게 되어 있다. 나는 그가 처음 '떠남'을 단행한 장소와 시간을 추적할 수 있을 것 같다. 그 한없이 신산스러운 선택에 사실은 깊이 동감했던 축이다. 어쩌면 당시에 그가 선택한 코스야말로 1980년대의 정신들이 사용하지 않은 길이며, 5·18이 필요로 했던 또 하나의 통로였다는 데 이의가 없다. 사상은 익지 않고 행동만 앞서던

165

민주주의의 도시에서 그는 다들 혁명가처럼 오늘의 열정을 지난날에 대한 그리움보다 미래를 향한 열망에 투여하는 광경을 피하고 싶었을 것이다. 그리하여 모두가 쫓기듯이 '떠나가 버린 자리'를 슬금슬금 찾아다니면서 그 빈자리에 남아 있는 외로운 자취들과 대화하고자 했다.

어디쯤이었던가
그대와 내가 처음으로 손을 잡았던 길이
떨리던 가슴으로 입맞춤을 하던 숲 그늘이
(중략)

뜰 앞에 꽃잎은 시들어가고
허물어진 자취에 굴뚝새가 울고 갈 때
—「잊혀진 정원」부분

이렇게 유난히 자주 등장하는 옛 풍경, 옛 흔적이 그걸 말한다. 그 한 자락이 문화유산을 찾는 여정으로 이어지는 것을 주변에서도 대개는 어울리는 일이라 여겨 말리지 않았다. 그러면서 반드시 문단에 돌아올 것을 기다리고 손짓했으나 그는 감감무소식이었다. 그리고 아버지를 여의고 어언 나이 60이 되어서야 불쑥 이 시들을 내놓고 있는 것이다. 사랑의 열정도 성취의 욕망도 뭉뚱그려 하나로 만들어 버린, 해설은 생략하고 오직 노래만 안고 온, 지극히 이형권다운 귀환이다.

3

시는 인류가 최초부터 함께해 온 근원적인 장르에 속한다. 여기에는 원시 인류가 야생의 벌판에서 내지르던 즉자적 발성 기호에 대한 그리움이 배어 있다. 번개가 치고 가지가 부러지는 자연의 소리들 틈에 짐승이 울부짖고 인간의 비명과 웃음소리가 섞일 때 존재와 존재 사이에 알아듣지 못할 말이 있었던가? 그러나 문자가 출현하고, 근대 이성주의와 함께 활자의 권위가 독보적 지위에 오른이후 노래의 운명은 달라져 버린다. 오늘날 시의 근육을 노래에 두고 싶어 하는 사람은 많지만 그것을 구현할 수 있는 시인은 극소수에 불과하다.

이형권은 시가 말의 '뜻(의미)'을 조직하는 장르가 아니라 그 '울림(운율)'을 조직하는 장르라는 것을 머리가 아닌 몸으로 체득해 버린 사람처럼 보인다.

어제는 항구에 가서 그대를 보았다
머지않은 눈보라의 예보가
그물처럼 내리고
저마다의 가난과 행복을
한 두릅씩 흥정하는 인파 속에서
흰 파도처럼 웃어대는 그대를 보았다

　　　　　　　　　　　　-「마지막 항구에서」 부분

　이 같은 그의 진술력, 소설의 묘사를 연상케 할 만큼 빼어난 풍경을 제출하는 시적 수사들은 모국어의 발음이 만들어 내는 음악적 질서를 상실해 가는 사람들에게 진한 향수를 불러일으킨다. 받침 하나라도 운율 바깥에 방치되는 걸 견디지 못할 만큼 정갈한 그의 시를 편편이 '악보 없는 음악'이라 불러도 무방할 것이다.

　시가 노래라는 사실은 그것이 한 번 읽히고 사라지는 것이 아니라 두고두고 반복해서 읽혀야 한다는 장르적 숙명에 의해서도 증명된다. 그러나 개인과 개인 간의 연대감이 줄고, 삶에 대한 집단적 공유가 사라지면서 시는 점점 노래를 잃는다. 시인이 언어를 피아노의 건반처럼 다루던, 그리하여 시에서 뜻보다 먼저 울림이 전달되던 아름다운 전통이 사라지고 있는 것이다. 이형권의 시가 지금 문단에서 한창 지가를 올리는 젊은 건각들에게 읽혀야 할 이유가 있다면 나는 그것을 바로 이 점에 두고 싶다. 이즈막의 시에서 노래가 실종된 가장 큰 이유의 하나는 공동체적 연대감의 소멸이요 집단적 감각의 붕괴일 것이다. 운율은 사사로우면 놀이가 되고, 지공무사에 닿으면 시대적 호흡이 된다. 그래서 시가 집단의 기억에 의존하지 않는 것처럼 불행한 사태는 없다. 우리가 김소월의 시에서 1930년대의 숨소리를 듣는 이유는 그의 애상이 사감私感이 아니라 민족의 것이요, 그 시절을 견딘 힘없는 백성의 것이었기 때문이다. 이형권의 시가 근자에는 없는 음악적 신명을 대동하는 까닭도 여기에 있다. 그가 각별히 골라서 쓰는 고유 명사들이 그것을 증명한다. 아버지, 어머니, 칠산바다, 견훤, 제비집, 길 따위는 모두 속담이나 민요의 그것처럼 집단의 기억에 의존해 있는 것으로서, 학술적 용어로 규정하자면 문화유산적 가치를 갖는 정서적 등가물들이다.

어둠 속에 산그늘처럼 희미해져가는 것들
그것이 삶이었던가

그대와 불 밝히고 살았던 짧은 청춘의 시간이

밤의 적막 속으로 사라져갈 때

헝클어진 너의 머리칼을 만지고
야윈 뺨을 만지고 차가운 입술을 만져 보지만

그리움으로 서 있구나
옛 석등이여

- 「축서사에서」 부분

　이 시가 유감없이 보여 주듯이, 그에게서 어떤 사물이
나 광경을 바라보는 하나의 시선이 탄생하는 양상은 놀
랍다. 서정적 화자가 '서 있는 장소'와 '보는 풍경' 사이의
괴리를 통일시키는 것은 축서사도 석등도 아닌, 행간에
자욱한 그리움이다. 그러나 한편으로 한없이 슬픈 미련
에 매달리는 그의 시적 몸부림도 이 집단적 기억에 대한
곰삭힘에서 나온다. 마치 정지용의 '고향' 같은 곳을 영
영 버리지 않고 찾아갈 듯이, 그는 쉴 새 없이 여행하면
서도 '탈주'가 아니라 '귀소'를 택한다. 원인 제공자는 유
년 체험일까 소년 체험일까 고향 집 풍경일까? 그에게서
존재의 원점을 이상화하는 김소월적 그리움이 생기는 것
은 왜인지 알 수 없지만 「축서사에서」와 같이 설익지 않

게 절제된 노래가 독자의 가슴을 아리게 하는 폭은 한없이 크다.

　다시 말하지만, 그는 인간의 열정이 그리움보다 욕망을 지향하게 되는 것을 달가워하지 않는다. 건설이나 파괴에 대한 본능적 거부, 개미가 아닌 베짱이처럼 그늘을 찾으며 흐르는 것에 그냥 적응하고자 하는 심성은 태생적인 것으로 보인다. 그런 측면에서 그가 시대와 불화하지 않을 길은 없다. 온통 허물고 세우는 것에만 관심이 있는 세태를 등지고 그는 유구한 존재의 저 뒤쪽을 향해서 한없이 걷고자 할 뿐이다. 그의 서정적 화자가 하나같이 '떠돎'과 '머묾'의 상태를 동경하는 이유는 그가 이렇게 유랑하는 영혼을 긍정하기 때문일 것이다.

　　들판에는 무심한 햇살이 쏟아져 내리고
　　시골 아낙 서넛 장바구니와 함께 앉아 있고
　　고개를 넘어가니 텅 빈 시간 속에 정거장이 있습니다

　　덜컹거리는 시골 버스는 흙먼지를 날리고
　　산마루에 걸린 구름은 추억을 날리고
　　정처 없이 모두가 떠나가고 있습니다

　　　　　　　　　　　　　　　　　　　　－「길」부분

"시골 버스"가 "흙먼지를 날리"는 옛 풍경을 읽고 또 읽는 회한이 그의 본능임에는 틀림없다. 그의 이 같은 의식 속에서 길은 끝나는 곳에서 다시 시작되고, 삶도 세월도 역사도 그렇게 이어진다. 문제는, 그러면서 고착되는 '유랑의 회로'인데, 여행이 썩지 않기 위하여 일상의 웅덩이를 빠져나가는 행위라면, '여행만으로 사는 삶'에게는 그것이 그 자체로서 빠져나가지 않으면 안 될 웅덩이가 된다. 역설적이게도 웅덩이를 빠져나가는 여행은 자신의 노래를 세상 속으로 흘려 넣지만, 반대가 되는 경우에는 모든 웅덩이가 그렇듯이 세상이 받아 주지 않는 '소음 같은 것'이 되기도 한다. 그가 그러한 공허를 모를 턱이 없다.

여행에서 가장 중요한 자리는 세상을 떠돌던 영혼이 되돌아와 다시 제 자리를 찾는 지점이다. 김삿갓은 끝없이 세상을 '탈주'하는 삶을 살았지만 그의 노래는 언제나 세상 속을 흘러 다녔다. 이형권이 추구해 온 그리움의 마음들도 그러한 공동체의 기억 속으로 되돌아오는 자리에서 제 역할을 찾는다.

지금은 어느 갯가 폐선처럼 쓸쓸하다
인기척도 없이 수북이 먼지만이 쌓이고

172

가설극장 포스터처럼 빛바랜 추억이 스친다
농협창고가 보이는 텅 빈 거리에서
우리 집 나락 가마니에 일등을 주지 않았다고
아버지가 고래고래 소리를 지르며
술에 취해 걸어오시는 것이다

                    – 「범태상회」 부분

    이 빼어난 풍속화가 붙들고 있는 것은 세월이 아무리 흘러도 지울 수 없는 존재의 기억이며, 호모 사피엔스가 존재의 절정기를 누리던 시기의 비밀을 간직한 공동체에 대한 연민이다. 그리하여 그것은 시간이 흐를수록 오늘날 정신의 근거지로서의 고향을 잃은 자들의 남은 과제 속으로 무한 확장된다.

4

    좋은 시는 그것이 어떤 불행의 세계를 탐사하고 있을 때도 삶을 구원하는 일말의 정신의 끈을 놓치지 않는다. 돌이켜 보면 남도 가락의 절정을 육화하고 있는 이형권의 시심이 귀환하는 자리도 언제나 그곳이다. 그는 우선 범상

치 않고 고급스러운 감상의 바다를 부유하는 것이 아니라 늘 문명이 방치한 변방의 절경을 찾는다. 그리고 아무리 짧은 시에서도 삶과 풍경이 괴리되지 않고, 집단의 기억과 개인의 역사가 나뉘지 않는다. 그의 시가 늘 연민의 감정에 싸여 있다는 점은 중요하다. 여기서 사람 사이의 우애와 사랑의 가치를 등지고 저 홀로 폐쇄된 자아에 갇혀 고립된 존엄성을 지키려고 몸부림치는 이들에게 이형권의 시가 일깨우는 것은 대지와 인간의 유기적인 연대감 속에 서 있는 개인만이 평화를 누릴 수 있다는 사실이다. 나는 이것이 오늘날 우리가 꿈꿀 '새로운 개벽'의 종자가 아닐까 한다. 그의 언어들은 어떤 대안도 폭력적인 질서가 아니라 감성적인 교감 속에서 길을 찾을 수 있다는 항변처럼 들린다. 세상의 저변에 흐르는 기층문화의 움직임이 문명의 수호자들에게는 잘 보이지 않는다. 그런 의미에서 존재의 뒤쪽을 놓치지 않으려는 그의 고독한 싸움이 낳는 또 하나의 절경 '오지주의'는 미래의 전망을 도회가 아니라 벽지에서 다시 찾으려는 '궁궁을을'의 정신에 속한다고 볼 수 있다. 나는 이 시집이 그가 기왕에 걸어온 길의 출구이자 다시 새로운 또 하나의 입구가 될 것으로 본다.

이형권

1962년 전남 해남에서 태어났다. 전남대학교 국문학과와 동국대학교 대학원을 졸업했다. 1990년 진보 문예지 『녹두꽃』과 『사상문예운동』에 시를 발표했으나 이후 문화유산답사 전문가가 되어 문학판에서 이름을 감추었고 30년 만에 시집 『칠산바다』를 들고 돌아왔다. 그는 남도의 무명 포구 같은 시인이다. 한승원이 김발을 매던 득량만의 곰삭은 포구처럼 쓸쓸하거나 이청준이 노래한 서편제의 주막집 같은 애절한 가락이 숨 쉬고 있다. 여행가라는 명성답게 그의 시는 국토의 곳곳을 누빈 흔적이 역력하고 그 풍경을 자신의 가락과 추억 속에 내면화시켜 여행시의 새로운 면모를 열어 가고 있다. 펴낸 책으로는 『문화유산을 찾아서』, 『국토는 향기롭다』, 『그리운 곳에 옛집이 있다』, 『마음을 씻고 마음을 여는 곳, 산사』, 『풍속기행』, 『어린이 문화유산 답사기 3권』, 『한 편의 시가 되고픈 여행』 등이 있다. 다음 카페 〈여행, 바람처럼 흐르다〉를 운영하며 무심재투어 대표이다.

e-mail｜moosimjae@hanmail.net

칠산바다

초판1쇄 펴낸 날 ｜ 2021년 3월 8일
초판2쇄 펴낸 날 ｜ 2021년 3월 29일

지은이 ｜ 이형권
펴낸이 ｜ 송광룡
펴낸곳 ｜ 문학들
등록 ｜ 2005년 8월 24일 제2005 1-2호
주소 ｜ 61489 광주광역시 동구 천변우로 487(학동) 2층
전화 ｜ 062-651-6968
팩스 ｜ 062-651-9690
전자우편 ｜ munhakdle@hanmail.net
블로그 ｜ blog.naver.com/munhakdlesimmian

ⓒ 이형권 2021
ISBN 979-11-91277-05-0 03810

• 잘못된 책은 바꿔드립니다.
• 이 책 내용의 전부 또는 일부를 재사용하려면
  반드시 저작권자와 문학들의 동의를 받아야 합니다.
• 책값은 뒤표지에 표시되어 있습니다.